ENCARCERAMENTO EM MASSA

FEMINISMOS PLURAIS

COORDENAÇÃO
DJAMILA **RIBEIRO**

JULIANA BORGES

ENCARCERAMENTO EM MASSA

FEMINISMOS
PLURAIS
COORDENAÇÃO
DJAMILA **RIBEIRO**

JULIANA BORGES

 jandaíra

SÃO PAULO | 2021
4ª REIMPRESSÃO

Copyright © 2019 Juliana Borges
Todos os direitos reservados à Editora Jandaíra, uma marca da Pólen Produção Editorial Ldta., e protegidos pela lei 9.610, de 19.2.1998.
É proibida a reprodução total ou parcial sem a expressa anuência da editora.

Este livro foi revisado segundo o Novo Acordo Ortográfico da Língua Portuguesa.

Direção editorial
Lizandra Magon de Almeida

Produção editorial
Luana Balthazar

Revisão
Lindsay Viola
Lizandra Magon de Almeida

Projeto gráfico e diagramação
Daniel Mantovani

Foto de Capa
Acervo Pessoal

Dados Internacionais de Catalogação na Publicação (CIP)
Angélica Ilacqua CRB-8/7057

Borges, Juliana
 Encarceramento em massa / Juliana Borges. -- São Paulo : Sueli Carneiro ; Editora Jandaíra, 2021.
 144 p. (Feminismos Plurais / coordenação de Djamila Ribeiro)
ISBN: 978-85-98349-73-2
1. Feminismo 2. Negras - Racismo 3. Prisões - Aspectos sociais
I. Título II. Ribeiro, Djamila III. Série
19-0717   CDD 305.42

Índices para catálogo sistemático: 1. Feminismo negro

jandaíra

www.editorajandaira.com.br
atendimento@editorajandaira.com.br
(11) 3062-7909

"Eu aqui escrevo e relembro um verso que li um dia. 'Escrever é uma maneira de sangrar'. Acrescento: e de muito sangrar, muito e muito…"
– Conceição Evaristo

"A gente combinamos de não morrer."
– *Olhos d'Água*, de Conceição Evaristo

À bisa Damiana (*in memoriam*), pelas risadas; à vó Romilda (*in memoriam*), e mãe Claudia, pela determinação para que enfrentássemos o mundo juntas. À minha tia-avó "Dice", às minhas tias Simone e Selma, pela amizade, pelo amor e pelo carinho; às minhas irmãs Mariana e Alícia, e ao meu primo-irmão Fabrício, por serem minha alegria.
A Djamila Ribeiro e Brenno Tardelli, por sempre me incentivarem a escrever e a superar barreiras às quais eu mesma me impunha, e pela afetuosa amizade.
A Paulo Ramos, Fernando Busian e Renato Vicente, pelas leituras noturnas de meus textos.
Aos amigos e às amigas de vida, ativismo e caminhada por outro mundo possível; aos colegas e amigos da Letras e da Sociologia e Política, pelos profundos debates que aguçam minha curiosidade e minha vontade pela pesquisa e pelo saber.

SUMÁRIO

APRESENTAÇÃO 09
PREFÁCIO 15
BREVE HISTÓRICO: PUNIÇÃO E
APRISIONAMENTO. QUAL IDEOLOGIA? 31
BRASIL: IDEOLOGIA RACISTA E
SISTEMA DE JUSTIÇA CRIMINAL 51
GÊNERO, RAÇA E GUERRA ÀS DROGAS: ESTRUTURAS
DE MANUTENÇÃO DAS DESIGUALDADES 91
NOTAS E REFERÊNCIAS 125

APRESENTAÇÃO

FEMINISMOS
PLURAIS

Com esta coleção queremos trazer para o grande público questões importantes referentes aos mais diversos feminismos, de forma didática e acessível. Por essa razão, propus a organização – uma vez que sou mestre em Filosofia e feminista – de uma série de livros imprescindíveis quando pensamos em produções intelectuais de grupos historicamente marginalizados, levando em conta que esses grupos são sujeitos políticos.

Escolhemos começar com o feminismo negro para explicitar os principais conceitos e definitivamente romper com a ideia de que não se está discutindo projetos. Ainda é muito comum se dizer que o feminismo negro traz cisões ou separações, quando é justamente o contrário. Ao nomear as opressões de raça, classe e gênero, entende-se a necessidade de não hierarquizar opressões, de não criar, como diz Angela Davis, em "As mulheres negras na construção de uma nova utopia", "primazia de uma opressão em relação a outras". Pensar em feminismo negro é justamente romper com a cisão criada numa sociedade desigual. Logo, é pensar projetos, novos marcos civilizatórios, para que pensemos um novo modelo de sociedade. Fora isso, é também divulgar a produção intelectual de mulheres negras, colocando-as na condição de sujeitos e seres ativos que, historicamente, vêm fazendo resistência e reexistências.

Entendendo a linguagem como mecanismo de manutenção de poder, um dos objetivos da coleção é o compromisso com uma linguagem didática, atenta a um léxico que dê conta de pensar nossas produções e nossas articulações políticas, de modo que seja acessível, como nos ensinam muitas feministas negras. Isso de forma alguma é ser palatável, pois as produções de feministas negras unem uma preocupação que vincula a sofisticação intelectual à prática política.

O presente volume traz uma discussão tão urgente quanto necessária: a do encarceramento em massa no Brasil, que já ocupa a terceira posição no mundo entre os países com maior população carcerária. Pela perspectiva da interseccionalidade, a autora Juliana Borges aborda o contexto histórico do desenvolvimento desse viés punitivista e racista que hoje caracteriza nosso sistema judiciário e prisional.

Com vendas a um preço acessível, nosso objetivo é, portanto, contribuir para a disseminação dessas produções. Para além desse título, abordamos também temas como lugar de fala, racismo estrutural, branquitude, lesbiandades, mulheres indígenas e caribenhas, transexualidade, afetividade, interseccionalidade, empoderamento e masculinidades. É importante pontuar que essa coleção é organizada e escrita por mulheres negras e indígenas, e homens negros de regiões diversas do país, mostrando a importância de pautarmos como sujeitos as questões que são essenciais para o rompimento da narrativa dominante e não sermos tão somente capítulos em compêndios que ainda pensam a questão racial como recorte.

Grada Kilomba, em *Plantation Memories: Episodes of Everyday Racism*, diz:

> Esse livro pode ser concebido como um modo de "tornar-se um sujeito" porque nesses escritos eu procuro trazer à tona a realidade do racismo diário contado por mulheres negras baseado em suas subjetividades e próprias percepções (KILOMBA, 2012, p. 12).

Sem termos a audácia de nos compararmos com o empreendimento de Kilomba, é o que também pretendemos com esta coleção. Aqui estamos falando "em nosso nome".[1]

Djamila Ribeiro

PREFÁCIO

Para começar esta conversa que teremos, eu gostaria de lhes pedir algumas coisas. A primeira é de que a leitura destas breves páginas seja feita com o coração, os sentidos e, principalmente, a mente aberta. Diálogo[2] provém das palavras gregas "διά" e "λογος", ou seja, um movimento constante entre duas ou mais pessoas que, por meio da razão, "διάλογος", dispostas, estabelecem uma dinâmica de troca.

A segunda é a compreensão de que este livro não pretende encerrar dúvidas, pelo contrário. Este livro se propõe introdutório e estimulante ao ponto de fazer com que você busque as referências, os movimentos, os ativistas e – por que não? – também possa atuar numa pauta tão importante. Não mudamos nada, absolutamente nada, sozinhas. Como aprendemos pelo pensamento feminista negro, pelo ensinamento de nossas ancestrais, empoderamento é coisa que se constrói junto.[3] Não há possibilidade de vencer as amarras de uma estrutura tão profunda de opressão, como o racismo, sem luta coletiva. Portanto, para nós – porque creio que assim o seja para você –, empoderar-se passa por uma luta de mãos dadas.

E, por fim, mas não menos importante, porque nos introduz ao tema, eu lhe proponho um jogo simples e muito fácil. Um jogo chamado empatia.[4] Essa palavra, tão aludida e resgatada nas lutas por Direitos Humanos, significa, simplificadamente, a capacidade de imaginar-se no lugar de outra pessoa, ou seja, a habilidade de projetarmos em nós dificuldades, valores, sentimentos e ideias do outro. Projete-se. Imagine-se. Construa situações diante dos conceitos e dos fatos históricos. Seja o outro ou a outra por breves segundos. Prometo a você que fará muita diferença. Mas algo que pode lhe fazer perder pontos seria entender que essa empatia colocará você em uma situação de defesa do outro, algo salvacionista. Não é bem esse o propósito. A ideia é que essa projeção para dentro de si estimule a capacidade de projeção do outro e de compreender que liberdade é coisa que se conquista conjuntamente.

Por que falar sobre encarceramento e feminismo negro?

Por que fazer um livro sobre encarceramento, sistema de justiça criminal punitivo e feminismo negro? Qual é o ponto de conexão entre essas pautas?

Por que prisão, punição, superencarceramento interessa às mulheres, prioritariamente às mulheres negras? O sistema de justiça criminal brasileiro é racista e sexista? As mulheres cometem crimes? Quem define o que e quem é crime e criminoso? As prisões são as únicas possibilidades de relação entre a sociedade e um indivíduo que, supostamente, tenha quebrado um acordo social? E quais são os parâmetros para esse acordo? Quem o escreve, testemunha, assina? É possível questioná-lo?

Pode parecer fora de lugar falar em racismo, machismo, capitalismo e estruturas de poder em um país que tem em seu imaginário a mestiçagem e a defesa como povo amistoso celebrada internacionalmente. Contudo, parece absolutamente pertinente refletir, escrever, falar e lutar por essas pautas quando os dados estatísticos nacionais provam o contrário do discurso comemorado e largamente difundido. Se a luta e as denúncias históricas dos movimentos negros do país sobre as desigualdades baseadas em raça não são suficientes, é preciso apelar aos dados e retomar as produções acadêmicas e intelectuais históricas, e atuais, de pensadores negros e negras, e também não negros, mas absolutamente comprometidos com esse tema. Afinal, epistemicídio também é algo pouco discutido, mas que funciona ininterruptamente em nosso país.

O Brasil tem uma população prisional que não para de crescer. Atualmente, segundo dados do Levantamento Nacional de Informações Penitenciárias

(InfoPen),[5] temos a terceira maior população prisional do mundo, ficando atrás de Estados Unidos e China, tendo deixado a Rússia em 4º lugar em junho de 2016. São 726.712 pessoas presas no país. O que significa cerca de 352,6 presos para cada grupo de 100 mil habitantes. Mas o que nos leva a essa sanha punitiva? Por que temos uma cultura tão judicializada e criminalizada das relações sociais? E por que essa cultura e suas estruturas não atingem todos e todas da mesma forma, mas principalmente determinados grupos sociais?

Essa população prisional não é multicultural e tem, sistematicamente, seus direitos violados. A prisão, como entendemos hoje, surge como espaço de correção. Porém, mais distorce do que corrige. Na verdade, poderíamos nos perguntar: alguma vez corrigiu? E corrigiu para o quê? Os resquícios de tortura, como pena, permanecem; apesar de, segundo a tradição, a privação da liberdade é que seria o foco punitivo. Esse processo se enreda da seguinte maneira: 64%[6] da população prisional é negra,[7] enquanto que esse grupo compõe 53%[8] da população brasileira. Em outras palavras, dois em cada três presos no Brasil são negros. Se cruzarmos o dado geracional, essa distorção é ainda maior: 55% da população prisional é composta por jovens,[9] ao passo que esta categoria representa 21,5% da população brasileira. Caso mantenhamos esse ritmo, em 2075, uma em cada 10 pessoas estará em privação de liberdade no Brasil.[10]

Ao inserirmos a opressão de gênero, é possível enxergar como a interseccionalidade é fundamental tanto para pensar um novo projeto estratégico quanto para pensar medidas emergenciais, seja considerando mulheres em situação prisional, seja em mulheres que acabam passando pelo cárcere indiretamente pela relação com seus familiares. Conforme aponta Vilma Reis (2005):

> [...] nas narrativas da casa grande, as mulheres negras são originárias de famílias desorganizadas, anômicas, separadas entre integradas e desintegradas, estando todas essas definições numa referência das famílias brancas e, por consequência, as famílias negras são discursivamente apresentadas como produtoras de futuras gerações de delinquentes [...].[11]

Portanto, por serem corpos historicamente perpassados pelo controle e pela punição, devido ao passado escravocrata brasileiro, discutir encarceramento articulado à questão de gênero passa por abarcar diversos e complexos fatores para análise.

Em números absolutos, 37.380 mulheres[12,13] estão em situação prisional. À primeira vista, poderíamos refletir sobre esse dado como uma informação de que esse é um número não tão alarmante. No entanto, entre 2006 e 2014, a população feminina nos presídios aumentou em 567,4%, ao passo que a média de aumento da população masculina foi de 220%

no mesmo período. Temos a quinta maior população de mulheres encarceradas do mundo, ficando atrás apenas de Estados Unidos (205.400 mulheres presas), China (103.766), Rússia (53.304) e Tailândia (44.751).[14] Entre as mulheres encarceradas, 50% têm entre 18 e 29 anos e 67% são negras, ou seja, duas em cada três mulheres presas são negras.[15] Há, portanto, um alarmante dado que aponta para a juventude negra como foco de ação genocida do Estado brasileiro. Os dados de jovens mulheres sob medidas socioeducativas também vêm crescendo. A estrutura das casas segue a lógica prisional, a maioria das internas tem entre 15 e 17 anos, sendo 68% negras – esse dado no Estado de São Paulo chega a 72%. Tráfico de drogas e roubo são a maioria dos atos infracionais e os argumentos apresentados não diferem: vulnerabilidades sociais, necessidade de sustento dos filhos e da família, desestruturação familiar, violência e abuso doméstico-sexual.[16]

Então, como podemos falar em democracia racial no Brasil, quando os dados nos mostram um sistema prisional que pune e penaliza prioritariamente a população negra? Como podemos negar o racismo como pilar das desigualdades no Brasil sob esse quadro? Simplesmente, não podemos.

O sistema de justiça criminal tem profunda conexão com o racismo, sendo o funcionamento de suas engrenagens mais do que perpassados por essa estrutura de opressão, mas o aparato reordenado para garantir a manutenção do racismo e, portanto, das desigualdades baseadas na hierarquização racial. Além da privação de liberdade, ser encarcerado significa a negação de uma série de direitos e uma situação de aprofundamento de vulnerabilidades. Tanto o cárcere quanto o pós-encarceramento significam a morte social desses indivíduos negros e negras que, dificilmente, por conta do estigma social, terão restituído o seu status, já maculado pela opressão racial em todos os campos da vida, de cidadania ou possibilidade de alcançá-la. Essa é uma das instituições mais fundamentais no processo de genocídio contra a população negra em curso no país.

Em recente pesquisa,[17] 92% dos brasileiros acreditavam que há racismo no Brasil. No entanto, apenas 1,3% se assumiu racista. Dos brasileiros adultos, 68,4% já presenciaram um branco chamando um negro de "macaco", apenas 12% fizeram algo em relação à agressão racista que testemunharam. Um em cada seis homens brancos não gostaria de ver sua filha casada com um homem negro. Os dados tão contraditórios dessa pesquisa, a meu ver, trazem a revelação do quão entranhado está o racismo na constituição da sociedade brasileira. É como uma mão invisível. Mais ainda, ao passo que é preciso negar-se racista – mesmo que se obtenha privilégios de sua condição e se perceba a não presença de negros em espaços de poder e sua intensa presença em espaços subalternizados –, não é preciso esconder preconceitos em relação a criminosos.

A figura do criminoso abre espaço para todo tipo de discriminação e reprovação, com total respaldo social para isso. E ao retomarmos os dados que demonstram que há um grupo-alvo e predominante entre a população prisional, ou seja, que é considerada criminosa, temos aí uma fórmula perfeita de escamoteamento de um preconceito que é racial primordialmente. Como afirma a advogada norte-americana Michelle Alexander, o sistema de justiça criminal torna-se, portanto, mais do que um espaço perpassado pelo racismo, mas ganha contornos de centralidade por ser uma readequação de um "sistema racializado de controle social".[18] Se esse sistema já operou explicitamente pela lógica da escravidão, passando pela vigilância e pelo controle territorial da população negra após a proclamação da República, pela criminalização da cultura e pelo apagamento da memória afrodescendente, percorrendo a aculturação e a assimilação pela mestiçagem e pela apropriação, pela negação do acesso à educação, ao saneamento, à saúde – questões que permanecem, inclusive –, hoje não temos um cenário de fim dessa engrenagem, mas de seu remodelamento.

Muitos estudiosos e ativistas têm afirmado, e comprovado, que a Guerra às Drogas é a narrativa central dessa engrenagem redesenhada. Uma das experiências que tem organizado essa narrativa articulada entre o sistema de justiça criminal, a política de guerra às drogas e o racismo no Brasil é a Iniciativa Negra por uma Nova Política sobre

Drogas.19 O discurso de epidemia e de amedrontamento da população em relação às substâncias ilícitas cria o caldo necessário para a militarização de territórios periféricos sob o verniz de enfrentamento a esse "problema" social. Sendo assim, o sistema mantém em funcionamento de sua engrenagem pela criminalização, pelo controle e pela vigilância ostensiva desses territórios e por extermínio que se justifica e tem sustentação social de jovens supostamente envolvidos no pequeno tráfico.

O tráfico lidera as tipificações para o encarceramento. Da população prisional masculina, 26% está presa por tráfico, enquanto que, dentre as mulheres, 62% delas estão encarceradas por essa tipificação. Dessas pessoas, 54% cumprem penas de até oito anos, o que demonstra que o aprisionamento tem sido a única decisão diante de pequenos delitos.

A Lei nº 11.343 de 2006, chamada Lei de Drogas, é um dos principais argumentos no qual se baseia e se legitima o superencarceramento. Em 1990, a população prisional no Brasil tinha pouco mais de 90 mil pessoas. Na análise histórica, chegando aos mais de 726 mil, hoje, temos um aumento em 707% de pessoas encarceradas. O crescimento abrupto acontece, exatamente, após 2006 e a aprovação da Lei de Drogas. De 1990 a 2005, o crescimento da população prisional era de cerca de 270 mil em 15 anos. De 2006 até 2016, pela fonte de dados que tenho utilizado, ou seja, oito anos, o aumento foi de 300 mil pessoas.

Um dado interessante sobre o impacto direto da nova Lei de Drogas no superencarceramento é o tempo de funcionamento das unidades prisionais. São 1.424 unidades prisionais no país. Quatro em cada dez dessas unidades tem menos de dez anos de existência. O que quero dizer é que se antes havia um crescimento estável, e por diversos fatores que, não tenho dúvidas, também se impregnavam de racismo, a reordenação sistêmica e de pleno funcionamento da lógica racista ocorre neste marco de 2006. E o mais importante, ainda a ser ressaltado, é que isso ocorre justamente num momento em que diversas eram as ações que o Estado brasileiro passava a tomar que mudavam significativa e profundamente a vida da população negra no Brasil, com programas como Bolsa Família, expansão de vagas nas instituições de ensino superior públicas e privadas (primeiras ações por cotas e ProUni), criação de empregos e ampliação de crédito etc. Isso explicita os rearranjos estruturais em um país que se forma sob desigualdades sociais baseadas na hierarquia racial.

Mas, ao pensar na situação em que estamos hoje, é preciso que nos perguntemos constantemente sobre outras questões que, se não precedem, caminham conjuntamente a esse tema se queremos, como eu quero, mais do que uma reforma no sistema de justiça criminal – mas uma total e estrutural transformação e reconstrução desse mecanismo ou, no caso das prisões, sua abolição. Como apontam diversas estudiosas, como Angela Davis, Vilma Reis e Michelle Alexander, há, mesmo nos meios progressistas, certa dificuldade no debate tanto do que seria uma política de segurança pública, das transformações radicais em torno do desencarceramento necessário, do uso de substâncias consideradas ilícitas e, fundamentalmente, de compreender a complexidade em que operam as amarras interseccionadas das opressões que perpetuam sistemas desiguais. Nós precisamos de prisões? De onde e com quais motivações se estrutura esse sistema de justiça criminal como conhecemos hoje? Como se estabelece crime e criminoso? Como e sob quais interesses se define o que deve ser tornado ilegal e criminalizado? Por que continuamos insistindo em uma instituição que, a todo o momento, a sociedade grita que está em crise? Qual é a ideologia por trás desse gigantesco complexo que se expande e se aprofunda no mundo todo? Por que, de forma tão abrupta, os índices de encarceramento feminino passam a crescer? Por que são as populações negras e indígenas – esses últimos com pouquíssimos dados sobre sua situação carcerária – as mais afetadas por esse complexo prisional?

Haveria muito mais outras perguntas a serem feitas. Talvez, você, enquanto lê, tenha pensado em várias delas. O importante é que conforme avancemos aqui, mais perguntas sejam feitas. Não é minha ideia encerrar o diálogo com certezas, mas incentivar perguntas. Nem serei capaz de responder, neste livro, a todas essas questões. O mais importante é termos uma produção que vem ganhando terreno e se expandindo sobre esse tema e que buscarei, sempre, dialogar com o conhecimento produzido até aqui, principalmente pela intelectualidade e por ativismo negros.

Na primeira parte, apresentarei um breve apanhado histórico sobre as principais ideias que nortearam mudanças significativas e que impactam até hoje o modo de pensar o sistema de justiça criminal. De onde surgiu essa ideia de privação de liberdade como pena, como as prisões passaram a ganhar um status corretivo, como se fosse possível moldar corpos. Entendo que esse breve histórico é importante, inclusive para entendermos alguns aspectos de judicialização de questões de natureza política, utilizada aqui no sentido de pólis e cidadania.

Na segunda parte, apresentarei algumas das discussões sobre esse processo histórico no Brasil e de como nossa fundação sob bases escravocratas condiciona toda a formação do Estado imperial e depois republicano, numa organização e em transformações que, na verdade, pouco ou nada mudaram da estrutura. Demonstrarei, portanto, como esses momentos sedimentaram as bases de manutenção das desigualdades sociais baseadas na hierarquia racial e de como as ideologias da punição e racista se articulam em nosso país.

Na terceira parte, focarei mais as intersecções de gênero, raça, classe e sistema prisional. São muitas as redes que vão lançando as mulheres negras no centro desse sistema. Primeiro, o genocídio que acometia as mulheres negras passava mais por outros âmbitos do sistema como negação de acesso a saúde, saneamento, políticas de autonomia dos direitos sexuais e reprodutivos, assim como suscetibilidade à violência sexual e doméstica, à superexploração do trabalho, notadamente o doméstico. Mas essas violências vão, também, se sofisticando e tomando contornos cada vez mais complexos, modificando-se do controle para o extermínio necropolítico.[20] Conceito formulado pelo sociólogo camaronês Achille Mbembe, a micropolítica se instaura como:

> [...] o poder de ditar quem deve viver e quem deve morrer. É um poder de determinação sobre a vida e a morte ao desprover o status político dos sujeitos. A diminuição ao biológico desumaniza e abre espaço para todo tipo de arbitrariedade e inumanidade. No entanto, para o sociólogo há racionalidade na aparente irracionalidade desse extermínio. Utilizam-se técnicas e desenvolvem-se aparatos meticulosamente planejados para a execução dessa política de desaparecimento e de morte. Ou seja, não há, nessa lógica sistêmica, a intencionalidade de controle de determinados corpos de determinados grupos sociais. O processo de exploração e do ciclo em que se estabelecem as relações neoliberais opera pelo extermínio dos grupos que não têm lugar algum no sistema, uma política que parte da exclusão para o extermínio.[21]

A guerra às drogas entra em cena como o discurso de legitimação da ação genocida do Estado. Um discurso que, ao longo da história da sociedade brasileira, se materializou de diferentes formas e perspectivas em corpos negros.

Por fim, apontarei algumas discussões de questionamento do atual sistema de justiça criminal, de algumas formulações sobre abolicionismo penal e da emergência que temos diante de um tema cada vez mais central para a população negra. Como diz Angela Davis, não podemos acreditar em verdadeira liberdade e democracia enquanto existirem pessoas privadas de direitos e da própria liberdade.

BREVE HISTÓRICO
PUNIÇÃO E APRISIONAMENTO. QUAL IDEOLOGIA?

"[...] São argumentos de fácil aceitação pelo que reiteram das ideologias presentes no senso comum em que o elogio à mestiçagem e a crítica ao conceito de raça vêm se prestando historicamente, não para fundamentar a construção de uma sociedade efetivamente igualitária do ponto de vista racial, e sim para nublar a percepção social sobre as práticas racialmente discriminatórias presentes em nossa sociedade."
– Sueli Carneiro. *Ideologia Tortuosa*.[22]

Para falar sobre um tema cada vez mais discutido nas sociedades contemporâneas, é importante recorrermos tanto à história quanto a uma discussão sobre a ideologia que serve como pano de fundo nas construções das estruturas sociais. Como se estabelece e se constitui esse sistema que, ao surgir com a proposta de controle e de sanções, se articula no emaranhado sistema vigente de reprodução de desigualdades? Que a ideologia se esconde nas propostas e nas modificações pelas quais o sistema penal passou ao longo dos anos? Direitos e avanços ou simples reorganização e reestruturação da punição?

Mas o que seria a ideologia? Muitas são as discussões sobre esse conceito. Em "O espectro de uma ideologia", o cientista social Slavoj Žižek[23] traça um panorama introdutório sobre algumas dessas discussões em torno do conceito.[24] Grosso modo, a ideologia se estabeleceria na relação entre o indivíduo e a estrutura social. Portanto, a ideologia seria um conjunto de ideias "que legitimam a estrutura dominante".[25] A ideologia seria expressa no resultado de uma "necessidade interna". Com isso, qualquer proposta para entender as entranhas e os reais objetivos e desnudar uma ideologia atuante seria a busca por essas intenções ou necessidades ocultas. Ao apresentar a leitura hegeliana,[26] Žižek pontua-a como um "complexo de ideias", "teorias, métodos como materialidades externas" que atuam no real. Então, é preciso desnudar, buscar lacunas, em análise, as reais intenções de um texto ou de uma política. São nessas lacunas, nessas falhas, que podemos encontrar os interesses reais e ocultados com o objetivo de dominação. No entanto, para o esclarecimento,[27] um discurso não pode ser analisado apenas buscando elementos secundarizados. Em outras palavras, "nesta tradição, o subterfúgio da ideologia, tal qual definida por Habermas,[28] é a ideologia em si".[29] E segue descrevendo que o intuito de acessar sem interferência o conteúdo ou a realidade ideológica não é possível, posto que já se pressupõe ideologia nessa intenção.

Nos estudos linguísticos, a figura de Roland Barthes[30] é importante. O estudioso afirmou que é preciso desnudar o discurso, desconstruí-lo, para acessar seu sentido, seu significado. Para Louis Althusser, práticas e instituições ganham centralidade na discussão em torno do que é ideologia, apresentando-a como uma análise dos aparelhos ideológicos do Estado, que são a "rede concreta" que confere materialidade à "existência de uma construção ideológica".[31] Michel Foucault,[32] por sua vez, não utiliza do conceito de "ideologia", mas desenvolveu o conceito de micropoder, ou seja, processos disciplinadores, de um poder que se estabelece diretamente no corpo.[33] A filósofa Sueli Carneiro, partindo do conceito foucaultiano de "dispositivos" – a rede de instituições, discursos, leis etc. –, nomina "dispositivo racial" como conceito para dar conta da análise do racismo como estruturador, e portanto ideológico, da sociedade brasileira.

Essa noção de dispositivo oferece recursos teóricos capazes de apreender a heterogeneidade de práticas que o racismo e a discriminação racial engendram na sociedade brasileira. É possível compreender a natureza dessas práticas, a maneira como elas se articulam e se realimentam ou se realinham para cumprir um determinado objetivo estratégico, pois em síntese o dispositivo, para Foucault, consiste em "estratégias de relações de força, sustentando tipos de saberes e sendo por eles sustentados".[34]

Nosso pensamento é condicionado a pensar as prisões como algo inevitável para quaisquer transgressões convencionadas socialmente. Portanto, a punição já foi naturalizada no imaginário social. Nesse sentido, muitas vezes ativistas que questionam o status punitivista e chegam até a defender o chamado abolicionismo penal são considerados meros sonhadores e defensores de algo impensável, se não impossível. Mas as perguntas que devemos nos fazer são: as prisões estão sendo espaços de real ressocialização como se propõe? Como surge essa ideia da privação de liberdade como uma pena para quebra de convenções e contratos sociais? São as prisões as únicas formas de tratar certas quebras de acordos sociais? E, inclusive, inserirmos uma pergunta já antes realizada pela filósofa e uma das maiores pensadoras da atualidade sobre aprisionamento, Angela Davis:[35] quem define o que é crime e quem é criminoso?

É inevitável falar do filósofo Michel Foucault[36] para discutir punição, vigilância e aprisionamento. Em *Vigiar e punir*, o estudioso francês apresentou uma genealogia da punição e das prisões. Não no sentido de preocupar-se com a origem propriamente do sistema punitivo, mas de entender processos e mudanças ocorridas nesse sistema e como ele foi, no decorrer histórico, sendo reinventado e reformulado.

Muito do que entendemos hoje como justiça criminal tem influência do processo de transformações político-filosóficas e sociais que ocorreram partir dos séculos XVIII e XIX. Antes disso, as punições eram estabelecidas pelos suplícios, ou seja, o exercício do poder marcado no corpo e uma política punitiva estabelecida por medo e flagelos. Os suplícios, como define Foucault, eram penas corporais dolorosas, mais ou menos atrozes; e acrescenta: "é um fenômeno inexplicável a extensão da imaginação dos homens para a barbárie e a crueldade".[37] No entanto, o filósofo adverte que não podemos entender os suplícios, mesmo configurados, hoje, como modelos de barbárie, como rompantes sentimentais. Havia técnicas, procedimentos para definição das punições supliciantes.

Na França dos séculos XVI e XVII, e em diversos regimes monárquicos europeus desse mesmo período, estendendo-se às suas colônias, o processo criminal transcorria sem a participação do acusado. Acusação, provas, depoimentos etc. realizavam-se sem que o acusado pudesse acompanhá-los e, o mais importante, ter conhecimento sobre como transcorria o processo. Poderíamos ler como uma dimensão que ainda se faz presente no sistema de justiça criminal contemporâneo, guardadas as devidas proporções históricas e organizacionais. A linguagem rebuscada, o uso de expressões em latim e até uma construção discursiva e sintática mais apurada e elitizada afastam e dificultam tanto a capacidade de acompanhamento quanto de entendimento do processo pelos réus e seus familiares, e mesmo de outras partes interessadas. Com isso, dificulta-se o exercício pleno de defesa e de direitos. O saber como poder exercido ainda permanece. Se no século XVI o desconhecimento do réu sobre o que era acusado era garantido pela lei e pelo ordenamento jurídico, posteriormente, e nos dias atuais, o processo se torna mais sofisticado, com uma série de obstáculos processuais, linguísticos etc.

Além das provas constituídas por depoimentos ou testemunhas, análises dos fatos contados etc., havia duas outras formas de comprometimento do réu na busca da confissão: o juramento e a tortura. A última, a despeito de não compor o direito como parte, está articulada a este por outros aparatos penais complexos. Com isso, mesmo que tenha sido colocado fim ao suplício como espetáculo, tínhamos naquele período, no interrogatório, todo tipo de violência lançada contra o réu, reintroduzindo o suplício e o sofrimento para que forçadamente o acusado falasse. Se pensarmos na realidade nas periferias e nas favelas hoje, e nas constantes violações de direitos humanos presentes em denúncias de ações de um braço indispensável da justiça criminal, que é a polícia, inclusive sendo celebrada em filmes de grande sucesso nacional, podemos afirmar que a tortura permanece como via, não ligada diretamente ao Judiciário, mas como prática constante do aparato de vigilância e repressão. A prática ainda é, infelizmente, recorrente no país e, a meu ver, mantém os fortes laços com o processo de formação do Estado brasileiro. Segundo estudo realizado por importantes instituições de combate à tortura, em 2015, 61% dos acusados de crimes de tortura são agentes públicos, frente a 37% de agentes privados. Quando perpetradas por agentes públicos, as motivações principais foram para obter informações ou confissão; no caso dos agentes privados, a motivação destacada é de castigo. Desses crimes, 64% ocorrem em ambiente residencial ou em locais de retenção, ou seja, a oportunidade, a certeza de que não haverá qualquer questionamento à prática, um total desrespeito ao ambiente privado e do que significa a tutela do Estado diante de uma pessoa em privação de liberdade, em sua maioria periféricas e negras, denota como está arraigada, ainda, o cerne punitivo escravocrata e de ideias medievais em nossa sociedade, principalmente nas instituições de caráter repressivo e de controle social.[38]

No caso do Brasil colonial, as prisões, em um primeiro momento, não foram as únicas alternativas. Os locais eram improvisados e, na maioria das vezes, utilizados para os que aguardavam o julgamento. Não havia, ainda, um conjunto unitário, como instituição prisional. Como nos aponta Carla Akotirene:

> Embora não merecesse atenção central por parte das autoridades coloniais, a desorganização, insegurança e falta de higiene presentes nesta época eram tão absurdas como as da atualidade, havia uma diferença crucial na relação delito/cárcere: a prisão não era absoluta. As mesmas serviam apenas como lugares improvisados, para a detenção de suspeitos à espera de julgamentos, ou ainda para condenados que aguardavam a execução da sentença. Tanto que o castigo e o controle social da

colonialidade não tinham obsessão por esse espaço de privação de liberdade.[39]

Tampouco tinham obsessão pela efervescência, pelo questionamento e pela derrubada do poder absoluto, como se organizavam as monarquias europeias; era fundamental, portanto, trazer essas transformações, esses "esclarecimentos" para a esfera criminal. A execução da punição, seja pelas torturas, seja pela morte, era a personificação do despotismo e da tirania. Sendo, hoje, a polícia um braço de repressão da justiça criminal e do Estado, não deveríamos refletir sobre mudanças estruturais nessa instituição, quando não sua extinção?

Algo importante a ressaltar é a ideologia que se coloca para além do visível nesse processo e o fato de que não havia apenas um interesse humanista entre essas vozes. Foucault segue em sua análise apresentando que, com esses novos valores, o mundo passou por uma série de mudanças sociais, políticas e econômicas. Portanto, havia um salto de organização e complexidade das sociedades, demandando uma estrutura e um aparato de vigilância que correspondessem aos novos desafios colocados. Ao passo que os suplícios não desapareceram totalmente, mas se reintroduziram por torturas em interrogatórios, a vigilância e as técnicas de investigação tornaram-se mais inteligentes.

Essas transformações acarretaram, inclusive, um deslocamento na natureza dos crimes que passaram de ser sangrentos e de grandes saques e pequenas revoltas, para ações mais individualizadas e sofisticadas. Além disso, havia um profundo desconforto com o poder excessivo nas mãos dos juízes, figuras que também representavam essa imagem do poder soberano e tirânico, e que desequilibravam o exercício da Justiça.

O verdadeiro objetivo da reforma, e isso desde suas formulações mais gerais, não é tanto fundar um novo direito de punir a partir de princípios mais equitativos, mas estabelecer uma nova "economia" do poder de castigar, assegurar uma melhor distribuição dele, fazer com que não fique concentrado demais em alguns pontos privilegiados, nem partilhado demais entre instâncias que se opõem; que seja repartido em circuitos homogêneos que possam ser exercidos em toda parte, de maneira contínua e até o mais fino grão do corpo social. A reforma do direito criminal deve ser lida como uma estratégia para o remanejamento do poder de punir, de acordo com modalidades que o tornam mais regular, mais eficaz, mais constante e mais bem-detalhado em seus efeitos; enfim, que aumentem os efeitos diminuindo o curso econômico (ou seja, dissociando-o do sistema de propriedade, das compras e das vendas, da venalidade tanto dos ofícios quanto das próprias decisões) e seu custo político (dissociando-o do arbítrio do poder monárquico).[40]

Toda uma reorganização passa a ser realizada sobre o que e como punir. E, com os novos processos e as novas dinâmicas econômico-sociais, houve também um reordenamento em relação à propriedade. Essas transformações demandaram um novo estatuto sobre bens, algo que, sobremaneira, se ordenou para garantir o direito dos donos de propriedades, ou usurpadores delas, e a criminalização das classes populares ao tornar qualquer ato violento que considerasse, e ainda considere, essas posses uma ilegalidade. Então, houve com isso uma sobreposição da propriedade/posse em relação aos direitos e à cidadania. Isso tudo se sedimenta pela reorganização social em uma sociedade que se relaciona por acordos, contratos sociais. Com isso, transgredir os termos desse acordo, existentes em forma de leis, daria à sociedade o "direito" de exercer sanções àquele que transgride esses pactos.

O sistema de justiça criminal é pouco discutido mesmo entre ativistas que lutam por justiça e igualdade social. Com isso, esse tema arenoso e difícil de ser tratado na sociedade, mas de fundamental importância sistêmica na reprodução de injustiças e desigualdades étnico-raciais, econômicas, sociais e políticas, acaba por ser deixado de lado mesmo entre uma produção e construção de lutas progressistas na sociedade. Abolida a escravidão no país, como prática legalizada de hierarquização racial e social, vemos outros mecanismos e aparatos constituindo-se e reorganizando, ou até mesmo sendo fundados, caso que veremos da instituição criminal, como forma de garantir controle social, tendo como foco os grupos subalternizados estruturalmente.

Vivemos em uma sociedade marcada pela lógica hoje neoliberal, e, desde sua fundação, racista e com desigualdades de gênero. São opressões estruturais e estruturantes da constituição de uma sociedade que surge, para o mundo ocidental, pela exploração colonialista e ainda marca, em todos os seus processos, relações e instituições sociais, as características da violência, a usurpação, a repressão e o extermínio daquele período.

Como vimos, é na época de grandes mudanças políticas e de valores no mundo, com o incentivo dos ideais iluministas, que as leis criminais também passam por reformas e modificações. A força deixa de ser o elemento estratégico da punição e outros são os elementos para o castigo e a penalização. Passam a ser defendidas ideias que retiram o corpo da esfera de espelho da punição física para uma penalização mais abstrata e de consciência. A Justiça vai se distanciando da violência como parte constitutiva de si e relegando a vigilância e a punição a um conjunto maior de aparatos articulados e interligados, porém com funcionamento mais autônomo. A liberdade do indivíduo, que passa a ser vista como bem e direito, é que ganha a esfera da restrição e toma contornos de pena. Como afirma Foucault, "o castigo passou de uma arte das sensações insuportáveis a uma economia dos direitos suspensos".[41]

No século XIX, essa ideia ganharia contornos mais sóbrios. A partir desse momento é construída toda uma nova instituição punitiva. Os juízes passam a não julgarem mais sozinhos. Se antes era um símbolo do poder soberano e, portanto, com amplíssimos poderes, já no século XVIII o juiz tem suas atribuições mais amparadas por outras áreas, ainda com enfoque no crime e no tipo de pena correspondente. No século sequente, o que passa a ser um julgamento de consciência, ou seja, da alma, demanda mais do que o crime, requer o criminoso agora sendo este o foco de atenção. O julgamento, então, ganha maior complexidade, demandando uma série de outras instâncias e outros profissionais que atuam seja na execução da pena, seja no "esclarecimento" para que os juízes tenham condições de definição da punição. A Justiça passa a avaliar não apenas o crime, mas a vida e todo o contexto do acusado, inclusive posteriormente, como se estivesse sob poder da Justiça alguma condição de previsibilidade. Esses elementos extrajurídicos somam e reforçam uma moral social perpassada, e indissociada, de opressões estruturais. Sob teorias positivistas, o foco passa a ser como "recuperar", "modificar" o criminoso. Na conclusão da advogada e intelectual brasileira Ana Flauzina:

> É por dentro desta aparente contradição instaurada entre escola clássica e escola positiva, uma voltada para a generalização das leis e catalogação das condutas desviantes, outra para a individualização das penas e recuperação do autor do delito, que o projeto de controle penal moderno irá se sedimentar.[42]

Flauzina aponta que essas concepções não são contraditórias, mas complementares, principalmente, e vão balizar o pensamento criminológico em dicotomias como bem/mal, criminoso e crime versus sociedade etc. E são essas visões que sedimentam uma relação dinâmica de que o criminoso, ao cometer um crime contra o todo do corpo social, pode e deve receber sanções por quebrar os pactos definidos para o ordenamento e o convívio social. Os sistemas punitivos, portanto, não são alheios aos sistemas políticos e morais, são fenômenos sociais que não se prendem apenas ao campo jurídico, pelo contrário, têm um papel no ordenamento social e têm, em sua constituição, uma ideologia hegemônica e absolutamente ligada à sustentação de determinados grupos sociais em detrimento de outros.

Constantemente afirmamos que, por ser estrutura, o racismo perpassa todas as instituições e relações na sociedade. Mas o sistema criminal ganha contornos mais profundos nesse processo. Mais do que perpassado pelo racismo, o sistema criminal é construído e ressignificado historicamente, reconfigurando e mantendo essa opressão que tem na hierarquia racial um dos pilares de sustentação.

A advogada norte-americana Michelle Alexander se aprofunda nessa questão afirmando que operam, pelo sistema criminal, lógicas mais profundas. Ao analisar historicamente o encarceramento da população negra norte-americana, Alexander aponta que as pessoas encarceradas no país, em muitos estados, perdem seus direitos políticos, mesmo após o cumprimento da pena. Portanto, são pessoas que se manterão à margem do sistema e serão relegadas constantemente a cidadãos e cidadãs de segunda classe. No

Brasil, a condenação faz perder os direitos políticos no período do cárcere, que são restabelecidos posteriormente. Contudo, os presos provisórios têm garantidos seus direitos políticos, apesar de não poderem exercê-lo por não haver qualquer esforço de todo o sistema criminal para garantir as condições para o pleno exercício desses direitos. Com esses dois exemplos fica evidente o caráter político do sistema penal:

> [...] através de uma rede de leis, regulações e regras informais, todas reforçadas, poderosamente, pelo estigma social, eles são confinados às margens da sociedade e têm seu acesso à economia negados. Tem negados, legalmente, a possibilidade de obter emprego, habitação e direitos sociais – assim como os afro-americanos foram relegados a uma cidadania segregada e de segunda classe na era Jim Crow.[43]

Com o deslocamento para a figura do criminoso e todo esse aparato criminal formado, há uma pretensão de ressocialização, modelação do criminoso para que ele possa retornar à sociedade. O filme *Laranja Mecânica*,[44] do cineasta norte-americano Stanley Kubrick, é um clássico para compreender essa estruturação do sistema prisional, com variadas técnicas baseadas na ciência do período, para modificar comportamentos e condicionar corpos para uma conduta desejada e esperada na sociedade. E, para além do campo político-moral, podemos incluir o campo religioso como influência fundamental nessa tentativa de readequação de corpos, e também mentes, no sistema prisional. Como aponta Carla Akotirene, em sua dissertação sobre o sistema penitenciário feminino de Salvador, a própria palavra "penitenciário" traz em sua raiz a "penitência", sendo a prisão vista também como um espaço de "expiação de pecados, moral cristã baseada num comportamento passivo e de aceitação", principalmente se interseccionarmos gênero na análise.[45]

O corpo, para Foucault, tem grande importância. É matéria física na qual se circunscreve e se manifesta a materialidade do viver e do sentir. É uma estrutura, portanto, que pode ser moldada e é passível de técnicas disciplinares pelo controle. O corpo, ao contrário do sujeito que se constitui socialmente, é superfície. E, nesse sentido, sofre a ação das técnicas de poder presentes em instituições como escolas, hospitais, prisões etc. Em seus estudos, Foucault apresentou esse disciplinamento exemplificando o surgimento da instituição prisional e da justiça criminal como a conhecemos hoje. Disciplina e vigilância são pontas que objetivam docilizar corpos e comportamentos. Busca-se, com isso, moldar o corpo. Esse poder, contudo, produzirá resultados diversos. Como vimos anteriormente, primeiro, pelos suplícios, essas punições buscavam mostrar quem detinha o poder. Posteriormente, a narrativa adotada foi a da "cura" sobre pessoas consideradas anormais, ou seja, o crime é considerado uma anormalidade – e nos aprofundaremos sobre isso mais adiante. O castigo, portanto, passa a ser a própria suspensão dos direitos, da liberdade, que, com o entendimento da esfera individual, torna-se um bem em si.

Mas há, contudo, outra esfera do entendimento do corpo que dialoga com Foucault, mas que amplifica as estratégias possíveis a serem utilizadas nessa superfície que se, por um lado, pode ser moldada – apesar de o Estado buscar docilizá-la –, é, por outro, espaço de conflitos, resistências e ressignificações do sentir e viver o mundo.

Os discursos sobre o corpo foram, e são, cruciais para a constituição do racismo. Segundo a antropóloga ugandense Avtar Brah,[46] um exemplo disso é a ideia de lugar atrelada à ideia de "nação" que, somada a essa racialização, produzirá um efeito de eterno "não lugar", de vazio de pertencimento nos povos sequestrados de África para a escravização no Brasil. Com isso, a contribuição desse grupo será sempre subvalorizada, desqualificada na constituição do que é este novo lugar. O também antropólogo francês Michel Wieviorka apontou, em seu estudo sobre o racismo, a discriminação como uma das expressões do fenômeno político-social e ideológico. Nessa conceituação, a expressão discriminatória "corresponde de preferência a uma lógica de hierarquização".[47] Por isso a necessidade de exploração do grupo-alvo, por ter a discriminação racista perpassando todas as áreas e relações sociais e institucionais; por isso precisa ser inferiorizado, um partícipe não participante da sociedade. A historiadora

Beatriz Nascimento, em suas reflexões, aponta essa descontextualização e esse deslocamento constantes do ser negro na sociedade brasileira. Primeiro, por uma identidade atribuída pelo o que se coloca como oposto[48] e, por ser quem denomina o indivíduo negro, se colocar como oposto positivo e atribuir à negritude toda a negatividade político-social. Neusa Souza, psicóloga e intelectual negra, também se preocupa com esse processo tão internalizado que desemboca em apagamento e no desejo de ser ou tornar-se o outro e, portanto, de total nulidade de referências negras.[49]

Ainda sob o pensamento de Nascimento, a experiência corporal negra se dá justamente no processo diaspórico, e no que ela chama de "transmigração", seja da senzala ao quilombo, seja da África para o Brasil. É, portanto, uma identidade marcada pelo corpo e que busca uma nova imagem, ou até mesmo reconfiguração, de uma imagem apagada e roubada pela diáspora. Nesse sentido, o corpo pode ser entendido como uma janela também cultural. Segundo Nilma Lino Gomes, "as singularidades culturais são dadas também pelas posturas, pela predisposição, pelos humores e pela manipulação de diferentes partes do corpo".[50] Por fim, para Nascimento, o corpo é entendido como memória, como reconhecimento e posicionamento, como espaço de lutas, possibilidades e resistências, como um documento vivo e em constante movimento. Em outras palavras, corpo não é apenas uma tábua de inscrições, mas um espaço de lutas constantes.

Mas por que, então, moldar e homogeneizar a conduta humana? Por que buscar controlar sentimentos e determinar como eles podem ou devem ser expressos? Obviamente que não estamos aqui defendendo assassinatos, estupros etc. Nossa questão é o quanto uma sociedade punitivista e absolutamente controlada e controladora vai construindo cada vez mais mecanismos de vigilância e influência de determinação na vida de seus cidadãos, ao passo que toda e qualquer ação de pouca consequência definitiva na vida de outrem se torne algo delituoso e, até mesmo, hediondo, como é o caso da política de drogas? Qual é o motivo de criminalizarmos o consumo e a comercialização das drogas? Por que o fato de considerar que um indivíduo não está, supostamente, sendo útil à sociedade garante argumento para intervenções e criminalização desse cidadão? Quem e onde é definido o parâmetro de utilidade social? E com quais propósitos? As perguntas devem sempre buscar, na verdade, quais são as ideologias que estruturam uma série de ações, condutas e ordenamentos sociais.

E no Brasil? Como esse processo foi inserido em um contexto totalmente diferente do europeu, operado pela lógica colonialista e tendo na escravidão, baseada na hierarquização racial, um eixo fundamental de exploração?

BRASIL: IDEOLOGIA RACISTA E SISTEMA DE JUSTIÇA CRIMINAL

"Homens negros, e pessoas negras em geral, são representados excessivamente nos noticiários como criminosos. Significa que são mostrados como criminosos de modo exagerado, mais do que o número real de criminosos [...]. Então, você educou um povo, deliberadamente, por anos, por décadas, para crer que homens negros, em especial, e pessoas negras, em geral, são criminosos. Quero ser clara. Não estou falando só de pessoas brancas. Pessoas negras também acreditam e morrem de medo de si mesmas."
– Malkia Cyril. Diretora-Executiva da Center for Media Justice, em depoimento no documentário *A 13ª Emenda* de Ava Duvernay.

Nosso país foi construído tendo na instituição da escravização de populações sequestradas do continente africano um de seus pilares mais importantes.

Portanto, o processo de colonização no Brasil baseou-se na exploração de mão de obra escravizada e teve como foco a superexploração e a extração de recursos naturais, principalmente em seu primeiro ciclo. O eixo de sustentação da economia brasileira advinha do processo de escravização. Nesse sentido, a primeira mercadoria do colonialismo, e seu posterior desenvolvimento capitalista no país, foi o corpo negro escravizado. Este foi um processo que não se fixou apenas na esfera física da opressão, mas estruturou funcionamento e organização social e política do país. Sendo assim, as dinâmicas das relações sociais são totalmente atravessadas por essa hierarquização racial. Não se consegue, portanto, discutir os efeitos do racismo e sua articulação com o sistema de justiça criminal sem retomarmos, mesmo que brevemente, historicamente este processo. Mas, primeiro, é importante entendermos o racismo para compreendê-lo como ideologia fundante da sociedade brasileira. Tomemos a definição da UNESCO, na Declaração sobre Raça, art. 2º, e apontada por Ana Flauzina em sua dissertação:[51]

> O racismo engloba as ideologias racistas, as atitudes fundadas nos preconceitos raciais, os comportamentos discriminatórios, as disposições estruturais e as práticas institucionalizadas que provocam a desigualdade racial, assim como a falsa ideia de que as relações discriminatórias entre grupos são mo-

> ral e cientificamente justificáveis; manifesta-se por meio de disposições legislativas ou regulamentárias e práticas discriminatórias, assim como por meio de crenças e atos antissociais; cria obstáculos ao desenvolvimento de suas vítimas, perverte a quem o põe em prática, divide as nações em seu próprio seio, constitui um obstáculo para a cooperação internacional e cria tensões políticas entre os povos; é contrário aos princípios fundamentais ao direito internacional e, por conseguinte, perturba gravemente a paz e a segurança internacionais.[52]

Beatriz Nascimento definiu o racismo brasileiro como "um emaranhado de sutilezas". Para a historiadora e intelectual negra, o fenômeno e suas consequências não podem ser estudados apenas na externalidade, mas também nos impactos da corporeidade e da subjetividade dos sujeitos oprimidos, ou seja, "o racismo é uma experiência que retira o sujeito de si mesmo".[53] Como aponta o antropólogo Alex Ratts, no estudo que faz sobre a trajetória de Beatriz Nascimento, o pensamento da autora dialoga com importantes teóricos do período e, já em 1977, a estudiosa era taxativa sobre a importância de investigações profundas sobre o racismo, adentrando os "aspectos psíquicos" dessa ideologia. Nascimento afirmou, em paralelo, que podemos estabelecer com o pensamento da psicanalista e ativista Neusa Souza Santos, sobre a necessidade de afirmar que "ser negro é uma identidade atribuída por quem nos dominou", negando teorias essencialistas e entendendo a experiência racista em suas multifaces:

> A todo momento, o preconceito racial é demonstrado diante de nós, é sentido. Porém, como se reveste de certa tolerância, nem sempre é possível percebermos até onde a intenção de nos humilhar existiu. De certa forma, algumas dessas manifestações já foram incorporadas como parte nossa. Quando, entretanto, a agressão aflora, manifesta-se uma violência incontida por parte do branco, e mesmo nessas ocasiões "pensamos duas vezes!" antes de reagir, pois como expus, no nosso "ego histórico", as mistificações agiram a contento.[54]

E por que falamos no racismo como ideologia fundante da sociedade brasileira? De modo geral, o brasileiro enxerga-se como pacífico. São recorrentes as afirmativas de que somos um povo amável, receptivo, alegre, entre outras características de passividade e pacifismo. Conseguimos ser o país que afirma categoricamente essas características, ao passo que nossas estatísticas apontam que, por ano, mais de 30 mil jovens são assassinados no país, fruto da violência urbana e cotidiana.[55] E por sermos esse povo alegre e bonito, "por natureza"!,[56] também conseguimos afirmar de modo categórico a contradição de que somos um povo e um país sem qualquer preconceito, ao passo que, desses mais de 30 mil jovens, 23 mil são negros. Vivemos, portanto, sob os mitos da pacificação e da harmonia racial. Abdias do Nascimento denunciou o "mito da democracia racial" em 1977.[57] E, ao nos aprofundarmos em nossa história, perceberemos com exemplificações reais a reafirmação mítica dessa convivência harmônica.

Democracia racial e pacifismo formam o arcabouço do "mito fundador" do nosso país. Tomemos emprestada a definição de mito fundador da filósofa e professora Marilena Chauí, para entendermos como esses processos se reorganizam e se reinventam, permanecendo constante na sociedade brasileira: "Um mito fundador é aquele que não cessa de encontrar novos meios para exprimir-se, novas linguagens, novos valores e ideias, de tal modo que, quanto mais parece ser outra coisa, tanto mais é a repetição de si mesmo".[58]

Em outras palavras, o racismo é uma ideologia que atravessa o tempo e acompanha o desenvolvimento e as transformações históricas da sociedade brasileira. Se no processo de construção de ideia de descobrimento o racismo se colocou explicitamente pela instituição da escravidão, ele seguiu pela hierarquização e pelas teorias raciais no transcorrer dos séculos XIX e XX, e foi se refazendo e se reapresentando em outras configurações nesse percurso histórico, permanecendo sempre ali, latente nas relações sociais e por meio da estrutura e das instituições do Estado. A "fundação" de nosso país acontece tendo a escravidão baseada na hierarquização racial como pilar. O racismo é uma das ideologias fundadoras da sociedade brasileira. Algo tão fundamental no processo de formação não some em um estalar de olhos pela simples destituição da monarquia e por pretensões modernizantes. E a história prova o contrário. Sim, são muitos os contrários. Há uma lacuna imensa entre discurso e prática em nosso país. Isso pode ser um pouco desconfortável. Mas, diante da gravidade e das consequências dos sistemas de opressão que estão no germe do nosso país, não tenho qualquer pretensão de deixá-la confortável.

O Estado no Brasil é o que formula, corrobora e aplica um discurso e políticas de que negros são indivíduos pelos quais deve se nutrir medo e, portanto, sujeitos à repressão. A sociedade, imbuída de medo por esse discurso e pano de fundo ideológico, corrobora e incentiva a violência, a tortura, as prisões e o genocídio. Se, por um lado, para a instituição do colonialismo foi utilizada uma filosofia religiosa para a superexploração de corpos negros, por outro, é o estereótipo formulado no período pós-abolicionista que seguirá perpetuando uma lógica de exclusão e consequente extermínio da população negra brasileira. Esse poder sobre corpos negros é exercido em diversas esferas. Seja na total ausência de políticas cidadãs e de direitos, como falta de saneamento básico, saúde integral e empregos dignos; seja pelo caráter simbólico de representação do negro na sociedade como violento, lascivo e agressivo, alimentando medo e desconfiança e culminando em mortes simbólicas, pela aculturação, pela assimilação e pelo epistemicídio, até as mortes físicas, que se estabelecem por violência, torturas, encarceramento e mortes.

O debate sobre justiça criminal no Brasil não pode jamais prescindir da questão racial como elemento pilar, inclusive para a instalação dessa instituição no país.

O Brasil Colônia já é iniciado com um genocídio de gigantes proporções e invisibilidade em nosso cotidiano. Estima-se que, na chegada dos portugueses ao Brasil, a população indígena superasse o contingente de 2 milhões de pessoas. Em 1819, a estimativa cai para cerca de 800 mil. O tráfico de africanos sequestrados teve início em 1549. Estima-se que, até a proibição do tráfico transatlântico, cerca de 5 milhões de africanos tenham sido sequestrados e escravizados no Brasil.[59]

Segundo expõem Lilia Schwarcz e Heloisa Starling, em *Brasil: uma biografia*,[60] os escravizados[61] foram definidos como "as mãos e os pés do senhor de engenho, porque sem eles no Brasil não é possível fazer, conservar, aumentar fazenda, nem ter engenho corrente". Em alguns lugares do país, os escravizados eram maioria imensa em relação aos considerados livres. Pelas mortes prematuras e baixas taxas de nascimento – a primeira, fruto de jornadas exaustivas e demais explorações, e a segunda, como métodos de resistência de mulheres negras para não engravidarem – o sequestro de africanos era constante. Nesse sentido, a elite instituída no Brasil era composta, majoritariamente, por influentes traficantes de homens e mulheres. Portanto, a mercadoria de importância na constituição do que viria a ser a sociedade brasileira foi o corpo negro. As sociedades europeias do período entendiam os povos africanos como seres para serem escravizados.

A ideologia predominante à época era do entendimento do trabalho nos trópicos como um sofrimento e uma punição divina aos "desalmados". O trabalho era uma atividade disciplinadora e civilizatória aos "selvagens". Os castigos e as punições eram práticas incentivadas para evitar desobediência. As punições públicas buscavam, pelo medo, marcar e constituir exemplos pelo corpo marcado, assim como garantir e construir autoridade. A escravidão moderna viabilizou-se tendo na violência e na repressão elementos fundamentais para a sujeição e subjugação dos sujeitos. E vemos os reflexos dessa relação ainda nos dias atuais e na dinâmica das relações sociais, seja no nosso vocabulário, seja na vida diária e na estruturação de lugares sociais para um grupo alvo e minorizado.

Interseccionado ao gênero, entenderemos, ainda, outra dimensão desse processo para além do trabalho forçado. No caso das mulheres negras, as marcas do processo de escravização ganham outra dimensão nos campos, também, da sexualidade. O corpo das mulheres negras era, também, violado para o prazer dos homens proprietários; e pelo ódio e pelo ciúme das mulheres brancas. Nesse sentido, o rebaixamento e a subalternização desses corpos era uma constante. Angela Davis afirma que a mulher negra era vista, assim como os homens, como unidade de trabalho, mas também convivia com a lascívia masculina senhorial. É daí que surge o estigma de que mulheres negras aguentam mais dor e têm maior resistência em relação ao mito da mulher branca dona de casa e que deveria ser protegida – visão que se consolida no século XIX, principalmente.

Mas as mulheres também sofriam de forma diferente, porque eram vítimas de abuso sexual e outros maus-tratos bárbaros que só poderiam ser infligidos a elas. A postura dos senhores em relação às escravas era regida pela conveniência: quando era lucrativo explorá-las como se fossem homens, eram vistas como desprovidas de gênero; mas quando podiam ser exploradas, punidas e reprimidas de modos cabíveis apenas às mulheres, elas eram reduzidas exclusivamente à sua condição de fêmeas.[62]

Outro modo de entender essa relação é na descrição, pelos dados históricos, de "mucama" no *Dicionário da Escravidão Negra no Brasil*, de Clóvis Moura:

> MUCAMA. Escrava doméstica, negra ou parda, escolhida, quase sempre pela senhora, para os serviços domésticos, especialmente nas casas-grandes do Nordeste. Acompanhava a cadeirinha na qual a senhora saía a

passeio e podia ser ama de leite, cozinheira, copeira, confidente das filhas do senhor, alcoviteira ou objeto de uso sexual do seu dono ou de outros membros da família. Transformou-se em símbolo erótico para uma certa tendência literária. Dava crias na casa-grande sem que isso causasse espanto, mas os seus filhos, mesmo sendo do senhor ou dos seus filhos e parentes, continuavam escravos. Essa sexualização da imagem da mucama é responsável por muitas lendas e fabulações, especialmente no tocante ao ciúme das suas senhoras em relação aos maridos. Contam-se casos de olhos arrancados de mucamas servidos à mesa, devido a elogio feito pelo senhor, seios cortados, assassinato de mucamas ordenadas pelas senhoras, etc. O certo, porém, é que isso aconteceu apenas como exceção, pois, de acordo com os valores da época, a mulher tinha de aceitar como normal o comportamento sexual irregular do marido em relação às escravas. Um caso representativo desse ideário mítico com respeito ao ciúme das senhoras de escravos encontra-se neste relato de Silva Campos, publicado nas suas *Tradições Baianas*: "[...] achava-se à mesa de jantar o senhor de engenho e a sua esposa, copeirando-o uma mulatinha de olhos tentadores, recentemente adquirida por aquele. O homem sem nenhum propósito inconfessável disse então à consorte: Que rapariga de olhos bonitos! [...] No dia seguinte, à hora do almoço, não apareceu a jovem escrava que, para sua infelicidade, nascera com um par de olhos capazes de alvoroçarem um cora-

> ção de pedra, vindo outra mucama servir à mesa. Prestes a se levantarem, trouxeram de lá de dentro uma salva de prata, [...] dizendo a moça ao marido: É um presente para ti... O homem ergueu a toalha. [...], não podendo conter um gesto de horror. É que vira no fundo da vasilha dois glóbulos oculares [...]". Esta narrativa, se não for verdadeira, mostra os níveis de irracionalidade a que o escravismo poderia chegar, mesmo para os escravos domésticos que tinham uma situação bem mais favorável do que a grande maioria que trabalhava no eito".[63]

As mulheres negras passaram e passam pela coisificação tanto material quanto simbólica. Avtar Brah[64] afirma que as opressões não ocorrem em âmbito abstrato, mas circunscrevem os corpos subalternizados. Esses processos de desumanização e objetificação marcam os corpos e os sujeitos negros comprometendo, inclusive, sua capacidade de enxergar-se como indivíduos que têm ou devem buscar seus lugares no mundo. Esse passado histórico se faz presente na memória social. Pelo corpo-memória, que precisa se restabelecer e reconstruir dinamicamente. Esse processo, ao bloquear a capacidade de se ver sujeito, bloqueia também as relações com o outro e, consequentemente, as relações sociais que serão estabelecidas. Isildinha Nogueira, em sua tese intitulada "Significações do corpo negro" faz a seguinte consideração:

> [...] a instituição da escravidão construiu para os negros a representação segundo a qual eram seres que, pela carência de *humanização*, porque portadores de um corpo negro que expressava uma diferença biológica, se inscreviam na escala biológica num ponto em que os aproximavam de animais e coisas. Seres esses que, legitimamente, constituem objetos de posse dos *indivíduos humanos*. Com isso, o negro é apartado, e não excluído, como corpo social.[65]

Mesmo no pós-abolição esse processo ainda permanece dificultoso. Ao negro sempre houve a força de trabalho, não como vendedor desta, mas como *própria força de trabalho*. Nesse sentido, posicionar-se como classe trabalhadora no pós-abolição é uma experiência problemática, porque posicionar-se em uma categoria que busca direitos significa, primeiro, entender-se como sujeito no mundo, algo que foi perversamente negado no sistema escravista. As consequências, principalmente no plano psíquico, são notáveis, como a negação do ser que não é e pretende ser, desse indivíduo sem lugar e, portanto, que nega a si e aos seus iguais todo o tempo.

O questionamento da identidade é outra característica importantíssima nos regimes coloniais e de poder. As características físicas e os aspectos culturais são hierarquizados nesse sistema para garantir a subalternização desses povos por um discurso que contorna todas as esferas: moral, política, social, econômica e jurídica. Os discursos sobre o corpo e a moral da população negra foram fundamentais na constituição do racismo nas Américas e foram cruciais e determinantes para o sucesso da empreitada de hierarquia política e social no novo continente.

Muitas são as formas de negar lugar aos corpos negros. A ideia de lugar como "nação" é uma delas, como já dissemos anteriormente, a partir das formulações de Brah. O que é a nação brasileira? Os discursos de mulatização, as políticas de embranquecimento e as teorias deterministas e eugenistas do fim do século XIX e do início do século XX são exemplos dessa negação de pertencimento. Foram ações de apagamento da existência do negro no processo de constituição da sociedade brasileira. Houve, em um primeiro momento, a negação da contribuição positiva do negro no que se constitui Brasil e no *corpus* e compreensão identitária e geográfica do que se entende por sociedade brasileira. Posteriormente, essa contribuição, ao invés de negada, é subvertida, aculturada e abrandada, reduzida ao caráter festivo, alimentício e desportivo no país, desconsiderando, com isso, epistemologias, modos de olhar e entender o mundo. A contribuição do negro passa, portanto, a figurar apenas no aspecto cultural da sociedade brasileira e, mesmo nessa seara, de modo inferiorizado. Apenas quando essas manifestações culturais ascendem e são apropriadas pelo branco e sua indústria cultural é que são reconsideradas e bem-vistas pelo corpo político-social.

Retomando o pensamento da filósofa Marilena Chauí, essas questões estão sempre latentes quando pensamos nosso processo de formação:

> O processo histórico de invenção da nação nos auxilia a compreender um fenômeno significativo no Brasil, qual seja, a passagem da ideia de "caráter nacional" para a de "identidade nacional". O primeiro corresponde, grosso modo, aos períodos de vigência do "princípio de nacionalidade" (1830-1880) e da "ideia nacional" (1880-1918), enquanto a segunda aparece no período da "questão nacional" (1918-1960).

E segue:

> Na ideologia do "caráter nacional brasileiro", a nação é formada pela mistura de três raças – índios, negros e brancos –, e a sociedade mestiça desconhece o preconceito racial. Nessa perspectiva, o negro é visto pelo olhar do paternalismo branco, que vê a afeição natural e o carinho com que brancos e negros se relacionam, completando-se um ao outro, num trânsito contínuo entre casa-grande e a senzala. Na ideologia da "identidade nacional", o negro é visto como classe social, a dos escravos, e sob a perspectiva da escravidão como instituição violenta que coisifica o negro, cuja consciência fica alienada e só escapa fugazmente da alienação nos momentos de grande revolta. [...] a primeira imagem é a da escravidão benevolente, enquanto a se-

> gunda é a da escravidão como violência, mas nos dois casos os negros não são percebidos como o que realmente foram, tirando desses homens e mulheres "sua capacidade de criar, de agenciar e ter consciências políticas diferenciadas", numa palavra, despojando-os da condição de sujeitos sociais e políticos.⁶⁶

Esses são discursos que a documentação histórica demonstra a respeito do entendimento e do tratamento sobre a população negra escravizada no país.

O discurso político não se estabelece no abstrato, mas sobre corpos. O sujeito coletivo é construído de modo subalterno por essas práticas políticas e discursivas. Nesse sentido, afeta o corpo não apenas o biológico, mas o religioso, o moral, a classe, o gênero etc. O corpo também, portanto, é um espaço de ideologia.

Nesse sentido, a representação física do corpo negro é atribuída a valores morais que implicam os tipos e os estereótipos desses corpos e sujeitos. Negro e branco constituem-se, na sociedade brasileira, como extremos, distantes de si, mas que não são opostos. Há relação de ambivalência e dinâmica entre esses paradigmas étnico-raciais e sociais.

Sueli Carneiro, ao responder sobre um questionamento à adoção de políticas de ação afirmativa – notadamente as cotas – no país, coloca que apesar dos avanços e das constatações biológicas de que não existem raças, derrubando a tentativa de argumentação científica das teorias eugenistas, tivemos pouco "impacto sobre as diversas manifestações de racismo e discriminação em nossa sociedade e em ascensão no mundo, o que reafirma o caráter político do conceito de raça e sua atualidade, a despeito de sua insustentabilidade do ponto de vista biológico".[67] E continua:

> Raça é hoje e sempre foi um conceito eminentemente político cujo sentido estratégico foi exemplarmente sintetizado pelo historiador Anthony Mark em seu livro *Making Race and Nation*, onde ele afirma que: "Raça é uma questão central da política [...], porque o uso que as elites fizeram e fazem da diferença racial foi sempre com o objetivo de provar a superioridade branca e assim manter seus privilégios, à custa da escravidão e exploração. Essa atitude foi sempre compartilhada com os setores populares brancos interessados em se associar às elites. Historicamente, esse comportamento foi comum às elites do Brasil, da África do Sul e dos Estados Unidos".[68]

É por essa utilização político-ideológica que a intelectual Vilma Reis afirmará a utilização de "raça" como categoria analítica de base histórica, cultural e política.[69] Para Reis, é no corpo que se inscrevem marcas profundas e emblemáticas de representações negativas do negro. Para garantir o controle desses corpos foi, então, aplicada a "pedagogia do medo", na qual a punição, o constrangimento, a violência e a coerção foram impingidas para que se estabelecesse explicitamente a mensagem de qual lugar negros e negras teriam na sociedade baseada nessas hierarquizações.[70]

O que poderíamos chamar de germe do sistema criminal brasileiro já se iniciou punitivista. De 1500 a 1822, o que seria um código penal eram as *Ordenações Filipinas*, notadamente o Livro V, onde predominava a esfera privada e da relação senhor/proprietário-escravizado/propriedade. Com isso, a lógica do direito privado imperava já no nascedouro do nosso sistema e, dado o caráter violento do escravismo, já tinha em seu cerne as práticas de tortura, fossem psicológicas, fossem físicas, por mutilações e abusos sofridos pelos escravizados. Havia, com isso, diferenciação das penas entre escravizados e livres. Um exemplo é a execução da pena capital em que os "bem-nascidos" eram executados pelo machado, considerada uma morte digna, e aos demais era utilizada a corda, considerada uma morte desonrosa.[71] Posteriormente, essa diferenciação não aparecerá na letra da lei, mas será exercida e sentida na aplicação da punição aos réus. As sanções e as punições operadas na esfera pública diziam respeito a revoltas, rebeliões e organizações de resistência, como os quilombos, que transcendiam o caráter de crime contra o proprietário e se estabeleciam como crimes, considerados traições, contra a Coroa. A questão de gênero já aparece interseccionada e com diferenciações de pena e do que se configura crime também nas *Ordenações Filipinas*, conforme mostra Carla Akotirene:

> [...] a perseguição às mulheres no âmbito prisional remete ao contexto das Ordenações Filipinas, no Livro V, onde eram enquadrados aspectos da vida brasileira quando havia sintonia entre o crime e o pecado expressando violações morais à sociedade. Implantada no reinado de Felipe II de Portugal, de acordo com as autoras esta jurisdição perdurou durante duzentos anos legislando as práticas coercitivas nas colônias. As autoras afirmam que este ordenamento jurídico possibilitou à Coroa Portuguesa importar para o Brasil as amantes de clérigos, as alcoviteiras, as mulheres que se fingiam de grávidas e os segmentos indesejáveis a Portugal.[72]

A Lei Criminal no Brasil foi promulgada em 1830, no mesmo período em que se intensificavam as pressões para que o país abandonasse o tráfico de escravos. Segundo Lília Schwarcz e Heloísa Starling:

> No decorrer dos anos 1820 e 1830 aconteceu na província da Bahia – que só reconheceu a emancipação praticamente um ano depois da capital carioca (2 de julho de 1823) – uma série de revoltas. Na verdade, na primeira metade do século XIX, quilombos e práticas de candomblé se misturaram. Em 1826, na periferia de Salvador, um grupo de escravos, refugiados no quilombo do Urubu, deu início a um levante que fez subir a temperatura política na Bahia e provocou uma explosão de violência. Seu objetivo era

> um só: invadir Salvador, a partir de sua periferia, matar a população branca e garantir a liberdade aos cativos. [...] Entre 1820 e 1840, os baianos viram ocorrer revoltas militares, motins antiportugueses, rebeliões de natureza federalista e republicana, quebra-quebras e saques populares – todos eles contando com a participação da população pobre livre e de escravos, tanto em Salvador quanto nas vilas do Recôncavo.[73]

Com esse processo de efervescência, de população insuflada e das elites alimentando ideias de independência, temos a conformação de uma justiça criminal que mantém o caráter punitivista e de salvaguardar o interesse privado que até então caracterizava a instituição escravista brasileira.

Na vigência do Código Criminal do Império Brasileiro, manteve-se o tratamento diferenciado nas penas entre livres e escravizados. Esses últimos, majoritariamente, recebiam punições físicas e eram devolvidos aos seus senhores. Sendo vistos como propriedades, uma ação em relação a um escravo pelo Judiciário era entendida como uma intervenção do Estado sobre uma propriedade privada.

Ricardo Alexandre Ferreira, em *Crimes em comum*, um estudo sobre a relação do sistema penal do Brasil imperial com os escravizados, apresenta uma importante indagação e que também foi utilizada por muitos abolicionistas no período:

> Como alguém submetido à escravidão, um crime contra a humanidade, poderia ser condenado à morte como criminoso? [...] como o escravo, considerado coisa, poderia ter descumprido o contrato social, pactuado por pessoas – assim definidas por terem nascido iguais e livres?[74]

O período e os ventos de mudanças dos ideais iluministas também haviam chegado ao Brasil. Contudo, a preocupação se centrava em como criminalizar levantes e revoltas de escravizados que proliferavam no período. Esse processo tampouco foi realizado sem tensões e polêmicas, pelo entendimento de interferência do Estado em assuntos considerados da esfera privada. Nesse período também foi modificada a relação senhor-escravizado; ou seja, a organização do germe do Direito no Brasil acontece nessa relação de salvaguarda do patrimônio, de bens e não de garantia de direitos a cidadãos. A interferência estatal estabelecia, na lei, uma aproximação maior à população livre no status jurídico. Como algumas das punições, se comutadas, dariam o estatuto de liberdade aos escravos, há a pergunta realizada por diversos estudiosos se, então, o aumento exponencial nos arquivos da época de crimes cometidos por escravos contra seus senhores não eram, também, um ato contra a escravidão. Com isso, o Código foi aprovado com amplos e acalorados debates em torno da defesa da propriedade e contra a impunidade. Note-se que, já nesse período há a forte relação do escravizado configurado como criminoso. Em sendo uma *commodity*, fugir ou buscar sua liberdade era, no Direito patrimonialista que se organizava, um crime contra o direito de propriedade das elites brancas escravistas.

Em 1841, apenas sete anos depois, foi realizada uma reforma no Código Criminal, que diminuiu a participação civil no ambiente jurídico e instituiu e aprofundou uma estrutura policial e totalmente ligada ao executivo. A figura do "juiz de paz", um civil, foi extinta e a averiguação da culpa centrou-se na figura do delegado. A reforma seguinte, em 1871, mesmo ano da "Lei do Ventre Livre", passou mais atribuições ao aparato policial, dando caráter decisório em relação a crimes leves, mas retirou a averiguação de culpa relacionada a crimes considerados graves.

A seletividade penal é difícil de ser estudada pelos documentos do período. No entanto, Ferreira apresenta documento de 1839 em que é possível verificar uma listagem de "réus sentenciados à pena de morte" que recorreram pedindo comutação ao Poder Moderador. De um total de 62 réus, todos do sexo masculino, 11 tiveram penas comutadas. Entre os cerca de 40 restantes, cerca de 11 eram escravizados e nenhum deles teve pena perdoada. Há, ainda, outra documentação do período do recenseamento da Província de São Paulo que demonstra de modo mais explícito essa seletividade no tratamento entre réus livres e escravizados. Dos 389 réus listados em documento de 1871, 26 (6,68%) eram escravizados. No entanto, em relatório do mesmo ano, no recenseamento dos presos, a diferença é gritante: dos 292 encarcerados, 114 eram escravizados.[75]

Até os dias atuais, a questão da seletividade penal com o viés racial tem sido pouco levada em consideração na militância e em ativismos. Portanto, muito se fala, e se coloca como bandeira de luta, sobre o "leite já derramado", quando a violência racista já atingiu o campo da agressão e do desaparecimento físico do corpo negro. Mas como afirmam diversas intelectuais negras, é preciso darmos mais atenção ao caráter simbólico, do tipo de construção social e política que se produz e reproduz e ocasiona a morte social dos indivíduos negros. Para a advogada e pesquisadora Winnie Bueno, pouco se fala sobre "seletividade racial do sistema penal":

> A abordagem sobre seletividade penal passa, muitas vezes, em branco (literal e metaforicamente), consequência da força do mito da democracia racial brasileira e dos discursos universalistas de classe. Há um senso comum que aponta que as violências e índices de criminalização indevida estão mais relacionados com fatores sociais do que com racismo. Porém, o que se verifica, na realidade, são relatos e experiências de jovens negros e negras que convivem desde a tenra idade com a sabedoria do medo. O medo da polícia. Medo esse que é plenamente justificado.[76]

Diante desse mundo efervescente e de crescentes revoltas e táticas frente à contradição do império que se pretendia liberal mantendo a instituição escravista, acirram-se as normas e os regulamentos de vigilância sobre a população escravizada que se apresentava em contingente muito maior em relação à população livre e branca. Conforme aponta a advogada e pesquisadora Thula Pires:

> O processo de racionalização e desenvolvimento do direito penal apresentou-se como medida necessária para garantir que o processo de industrialização e urbanização se efetivasse. Numa relação conflituosa entre a Escola clássica e Positivista, o modelo de controle social pela esfera penal se consolidou a partir de um aparato violento, arbitrário, seletivo e hierarquizante (racista, sexista e classista).[77]

Podemos ver já aí o embrião, articulado cada vez mais ao desenho de uma Justiça que tem como braço de ação a polícia, o início do que viria, em décadas seguintes, como marcada criminalização. Os discursos, contudo, não se apresentavam como vigilância e repressão em relação à população negra, mas sempre como em relação aos "menos favorecidos" e com teor ideológico e de estereótipo das massas como elementos para exercício de controle. Os cultos de origem africana, vistos como espaços potenciais de reunião, foram proibidos sob o argumento de que perturbavam a ordem pública. Diversas eram as leis municipais que estabeleciam e vedavam a livre circulação de escravizados ou libertos, estabeleciam necessidade de passe para os já libertos e que, em alguns casos, até proibiam direito de adquirir imóvel e propriedade.

Outro fator que remete à preocupação de Michelle Alexander dizia respeito ao exercício do direito político que não era estendido a todos, mesmo libertos, que para o exercerem deveriam comprovar posse a partir de 200 mil réis. Portanto, essa situação de ambiguidade em relação à escravidão demonstra o Direito e a justiça Criminal sendo constitutivos do escravismo e, portanto, espaços de reprodução do racismo, da criminalização e do extermínio da população negra e não um mero aparato perpassado pela ideologia racista.

É evidente, em diversos documentos e estudos, como a sociedade brasileira imperial reestrutura, recombina e funda instituições, preparando um aparelho estatal que perpetuará desigualdades tendo como cerne, e um dos pilares, a racialização. A modernização do Estado brasileiro era mais um discurso do que uma realidade e se estabelecia, desde o princípio, tendo a exclusão de pessoas consideradas menos do que cidadãos de segunda classe e meros objetos e propriedades. Com isso, não é absurdo afirmar que sequer um status liberal o Brasil conseguiu estabelecer na formação de seu Estado. Ao falarmos de uma perene mentalidade escravocrata em nossa sociedade, estamos falando desses elementos, desses "mitos fundantes" que se remodelam e reconfiguram para manter a estrutura da casa-grande e senzala operando. As "crises" dos sistemas prisional e criminal sequer poderiam ser denominadas como tal, porque se tratam, na verdade, de uma engrenagem funcionando a todo vapor pela manutenção de hierarquias sociais constituídas e indissociadas do elemento racial.

A partir de 1850, há o incentivo e uma política de imigração europeia no país. O contingente que ingressa no Brasil, em 70 anos, quase se equipara ao contingente de africanos sequestrados e escravizados em três séculos! Diversos foram os incentivos em terras e apoio que os imigrantes europeus receberam sob o argumento da necessária mão de obra qualificada ao país. Certamente, a historiografia também aponta tensões na relação com parte desses imigrantes, posto que traziam outros ideais mais progressistas ao país. Contudo, fica evidente que, mais do que intenções de qualificação profissional, essas políticas de incentivo procuravam branquear o país. Não é possível concebermos que, de uma hora para outra, todo o entendimento nacional sobre o negro, como ser inferiorizado, sumisse e a questão do trabalho, pura e simplesmente, tomasse centralidade. Apesar de, infelizmente, essa ser uma leitura costumeira nos círculos progressistas brasileiros, reproduzindo invisibilidades e aceitando a história única, sem levar em conta a ideologia de fundo em um país que se constrói pelo colonialismo e se firma em contexto de ascendência de teorias eugenistas.

Conforme aponta a pesquisadora e professora da Universidade Federal da Bahia Carla Akotirene, o racismo pode ser verificado historicamente nas leis brasileiras em diversos momentos:

> Sobre este racismo da Lei, o trabalho de Hélio Santos (2001) analisa que o crescimento biológico dos brancos orientado nas estratégias do Estado pode ser identificado nas vantagens disponibilizadas a este segmento humano pela Lei de Terras de 1850. Durante o período de 1888 a 1914 houve auxílios financeiros, aberturas de créditos, concessão de passagens no objetivo de impulsionar a imigração. Conclui o autor que aproximadamente 2,5 milhões de portugueses, italianos, alemães, espanhóis, austríacos, japoneses tiveram a oportunidade de se emancipar no país ao contrário de mulheres e homens negros que não tiveram este direito. Os crimes raciais e sexistas do nosso Estado também se respaldaram na instituição de leis para dificultar qualquer tentativa da população negra em sobrepujar a nova exclusão instaurada após a extinção do trabalho escravizado. Dois anos após a abolição da escravatura, em 1890, foi criado o segundo Código Penal, o qual configurava como crime as expressões culturais dos negros, a exemplo da capoeira (ALBUQUERQUE; FRAGA FILHO, 2006, p. 247), tipificadas de vadiagem ou capoeiragem e das funções monetárias exercidas pelas mulheres, pioneiramente presentes no espaço público na

> condição de trabalhadoras, refletindo neste momento a criminalização imposta pelo Estado à ancestralidade do continente africano tão presente nas ruas de Salvador e para a punição premeditada a todas as situações descritas como mendicância e desocupação.[79]

Como já afirmado, o pensamento feminista negro tem como premissa a disputa pelo poder. Reafirmar isso é importante para entender as preocupações do período aqui discutido como uma busca das elites de garantir a manutenção de seu poder em relação a uma população que já se apresentava como majoritária e que, com a abolição, passaria a ser livre. Essa relação é importante e fundamentada, tendo em vista que a ação violenta e racista do Estado brasileiro – e que se engendra de tal modo a ter indivíduos negros impetrando essa violência contra sua própria comunidade, mostrando os macetes desse projeto no país – e o entendimento sobre ela passa por compreender a leitura da sociedade sobre as mulheres negras e como estas são caracterizadas. Conforme aponta Vilma Reis:

> Qualquer entendimento dos discursos de criminalização de jovens-homens-negros passa pela leitura do que pensa a sociedade sobre as mulheres negras, pois são a elas que se imputa a culpa pelo nascimento, em grande medida, a responsabilidade legal de uma geração, que o conservadorismo considera "indesejada".[80]

Se, por um lado, na dinâmica norte-americana, e com uma população escravizada muito menor do que o contingente no Brasil, a via de organização dos estados do sul foi um conjunto de leis explicitamente segregacionistas, por outro, o Estado brasileiro utilizou-se de expedientes mais sutis, pela via do racismo discriminatório, mas nem por isso menos perversos, para a garantia dos interesses das elites.

O sistema de justiça criminal do período republicano, por sua vez, não demonstra qualquer ruptura substantiva com o que se sedimentou no período imperial, que estabelecia não mais a instituição escravocrata como limite e inferiorização do negro, mas estabelecia uma série de outras políticas e regramentos à vida do negro na sociedade brasileira. É notório, na tradição literária, a crítica do escritor Machado de Assis ao momento de transição do Império para República. O romance *Esaú e Jacó* é emblemático nessa crítica, por conta de uma narrativa de incertezas, mudanças e inconstâncias tanto das personagens quanto da narrativa em si – isso seria, portanto, a explícita crítica do autor ao período de inconstância política –, e também por causa da pouca mudança que aquela troca de regimes traria ao cotidiano do país.[81] Há muitos debates de que parte das motivações da República na criminalização do negro constituía-se reativamente a uma parcela da população negra que se colocou como monarquista, tendo em vista a abolição da escravidão sendo apresentada pela Monarquia. Em que pese a comemoração pelo avanço da abolição, havia ali sedimentado no aparato estatal todas as garantias para que as elites brancas permanecessem no poder.

O historiador norte-americano e ativista pelos direitos humanos W. E. B. Du Bois, já defendia que a mão de obra negra nunca foi economicamente livre, nem politicamente autônoma. Ao discursar sobre a realidade norte-americana, mas que em muito se estabelece em paralelos no Brasil, nesse tema, ele versa:

> Desde 1876, os negros foram encarcerados pela mínima provocação e receberam sentenças longas ou multas pelas quais eles eram compelidos a trabalhar como se fossem novamente escravos ou criados. A consequente escravidão econômica de criminosos se estendeu para todos os estados do sul e levou a situações revoltantes.[82]

Com o crescimento das cidades, diversas são as ações tomadas no período objetivando o aumento da vigilância sobre os negros e pobres livres. A polícia ganha outros contornos e a vadiagem, embasada e definida por valores morais e raciais de que as "classes menos favorecidas" eram preguiçosas, corruptas e imorais, alimentavam o imaginário do que se entenderia como "crime" e da representação do sujeito que seria criminalizado, o "criminoso". A capoeiragem, por exemplo, foi inserida no Código

Penal Brasileiro, em 1890, intensificando ainda mais o controle social sobre negros.

Além disso, um conjunto de leis foram sendo promulgadas e intensificadas, criminalizando a cultura afro-brasileira como o samba e os batuques, as religiões, as reuniões musicais que passaram a ter que ser registradas nas delegacias e sofriam forte repressão.

Esse é o momento das teorias deterministas e eugenistas ganhando força e forma no Brasil. Essas teorias surgiram defendendo diferenças baseadas na biologia. Nesse "novo" sistema de igualdades, de uma sociedade de novos ventos e de garantias individuais, era preciso a reformulação de teorias que garantissem hierarquias sociais. As diferenças tão somente baseadas em hierarquias de "natureza" social ganham vulto em teorias que concebem essas diferenças em um novo rearranjo, este baseado em distinções que seriam de "natureza" biológica. O contraste, portanto, passara a inscrever-se no corpo sob ordem natural e não mais social. Se antes herdavam-se títulos da nobreza, agora herdavam-se superioridades genéticas que garantiriam o bom cidadão ou degradação que corresponderiam à miséria e demais fragilidades, fossem mentais, fossem físicas. Nesse contexto surgiram as teorias e o movimento eugênico. Eugenia foi a expressão cunhada por Francis Galton para dar nome ao estudo de agentes sob controle social que poderiam melhorar ou piorar as qualidades raciais das futuras gerações. Os teóricos deterministas acreditavam que essa interferência na genética teria resultados diretos na melhoria das relações sociais e no desenvolvimento econômico das sociedades. E essas são teorias de grande relevo no caráter positivista da República que se iniciava no Brasil.

Em 13 de maio de 1891, foi ordenada, e executada, pelo então Ministro das Finanças, Rui Barbosa, a queima de todos os arquivos ligados ao comércio de escravos e à escravidão no Brasil. Um apagamento histórico e de futuro, tendo em vista as consequências do eterno não lugar e ancestralidade violada que negros e negras carregam. O discurso modernizante era carregado de práticas ainda colonialistas.

Se no campo havia a reorganização e a reprodução de práticas de superexploração dos recém-libertos, nas cidades exercia-se uma intensa ofensiva aos chamados "vadios". Aí se intensificou o delineamento da figura do que seria crime e de quem seria, em qualquer contexto e situação, o criminoso brasileiro: o negro.

Em 1894, foi lançado pelo médico eugenista Raimundo Nina Rodrigues o livro *As raças humanas e a responsabilidade penal no Brasil*. No livro, dedicado a Cesare Lombroso,[83] o médico brasileiro critica o Código Penal Brasileiro de 1890 e defende tratamento diferenciado para o que ele considera "raças inferiores" nas penalizações: o negro e o indígena. Segundo as teorias defendidas por ele, e por muitos outros, havia graus diferenciados de criminalidade nas diferentes raças, por uma suposta diferença no grau de "evolução" das sociedades às quais pertenciam esses indivíduos. Negros e indígenas eram estereotipados como incapazes, próximos ao grau primitivo e, portanto, sem consciência e civilidade. Com isso, Rodrigues até fez discussão sobre mestiçagem, benefícios e prejuízos da prática no sentido da degenerescência que causaria, sendo uma delas o crime. No calor dos debates de uma nova reforma do Código Penal de 1940, o livro de Nina Rodrigues foi relançado, em 1938, para pressionar pela manutenção de elementos de diferenciação racial explicitados em lei.

Uma série de decretos foi lançada com esse intuito criminalizante. Segundo Ana Flauzina, em 1893, um Decreto determinava a detenção de "vagabundos, vadios, capoeiras" etc. Em 1899, outro Decreto negava fiança para "vagabundos ou sem domicílio". A observação que se apresenta é a de que, com o fim da escravização, a população negra teve negada sua possibilidade de ascender-se como classe trabalhadora pelo impulsionamento da imigração e transição de mão de obra. Com isso, mulheres negras acabaram como lavadeiras, quituteiras e empregadas domésticas ainda sob contexto de superexploração. Aos homens negros sobrava, portanto, o enquadramento nessas leis criminalizadoras. Não se tratava, portanto, de uma preocupação com algum crime. Mas aqui entra a articulação entre um sistema de justiça criminal que passa a pretensão de previsibilidade somado à ideologia racista de um país como o Brasil. Criminalizar a "vagabundagem" é uma abertura para todo tipo de criminalização. O que é a vagabundagem?

E quem a pratica? Qual é o indivíduo sem ocupação em uma sociedade que branqueou a força de trabalho livre? As elaborações desse período são um marco da racialização da criminologia brasileira aliada a uma forte repressão e tendo na polícia uma instituição de repressão sob essas mesmas premissas teóricas.

Flauzina aponta que, com isso, foi sedimentada a "criminologia positiva como grande suporte teórico do treinamento policial". Em outras palavras, se a discriminação explícita saía do campo das leis, essa manutenção de controle, vigilância e repressão estava resguardada no sistema penal pela prática policial. A intelectual afirma que essa "saudade" de "tempos de segurança" na sociedade brasileira é um resquício de um tempo de controle marcado pela propriedade do indivíduo negro na escravidão e de aparato explícito para isso, seria um "saudosismo da escravidão".[84]

É a partir dos anos de 1930 que o mito da democracia racial ganha contornos e se sedimenta. A miscigenação, como elemento de degenerescência, passa a ser trabalhada como características e símbolo nacional. A construção de uma narrativa de "brasilidade" fruto da soma de três raças ganha corpo. Se a legislação sobre o negro é limpa do Código de 1940, isso não acontece nas práticas das instituições do Estado brasileiro já impregnadas nas décadas anteriores. Portanto, é uma engrenagem de repressão que segue em forte atuação. Com o passar das décadas, essa criminalização vai se modificando e avançando sobre outras características, inclusive sob o verniz de uma criminalização da pobreza em um esforço de limpar o elemento racial como sustentação do sistema de desigualdades brasileiro. É sabido, por exemplo, da forte criminalização às religiões de matriz africana que se seguiram, adentrando, inclusive, a ditadura militar brasileira. O Decreto-Lei nº 134, de 13 de maio de 1967, disciplina sobre segurança nacional legitimando o estado de exceção. Com isso, garante-se a continuidade das engrenagens raciais de opressão com o argumento de repressão ao elemento subversivo, ou seja, podemos imaginar como um decreto que legitima o estado de exceção chega para populações que já viviam na constante suspensão de direitos. Ainda carecemos de estudos que demonstrem os impactos das leis e dos decretos da ditadura militar sobre a criminalização e o encarceramento da população negra, infelizmente. O que se sabe, ainda com pouca visibilidade e aprofundamento, é da forte repressão às religiões de matriz africana, posto que havia um entendimento de que os terreiros seriam espaços de encontro, reuniões e, portanto, de organização negra popular e de resistência. Mas, assim como tudo é perpassado pelo racismo, também o é o campo epistêmico e da pesquisa brasileira.

A partir dos anos 1990, há uma série de medidas e edições de leis elevando penas, dissertando sobre crimes hediondos, dificultando progressão de penas, e assim por diante. E essa criminalização vem conduzida por um forte cenário de cárcere e extermínio.

Entre 1995 e 2010, o Brasil foi o segundo país com maior variação de taxa de aprisionamento no mundo, ficando apenas atrás da Indonésia, um regime marcadamente repressor em relação à Política de Drogas, inclusive com penalização por morte. Tráfico, ademais, é a tipificação com maior incidência no sistema prisional, em uma média de 27%. Contudo, se fizermos o recorte de gênero, o número é assustador: 62% das mulheres encarceradas estão tipificadas na Lei de Drogas (Lei nº 11.343/06), enquanto que esse percentual cai para 26% entre os homens encarcerados.

A sociedade é compelida a acreditar que o sistema de justiça criminal surge para garantir normas e leis que assegurarão segurança para seus indivíduos. Mas, na verdade, trata-se de um sistema que surge já com uma repressão que cria o alvo que intenta reprimir. A realidade do sistema de justiça criminal é absolutamente diversa de garantir segurança, mas um mecanismo que retroalimenta insegurança, e aprofunda vigilância e repressão. Ao perguntar para qualquer pessoa negra periférica quais são as instruções que ela recebe desde pequena sobre comportamento, conduta e confiabilidade na polícia, um braço central para o funcionamento das engrenagens de exclusão, certamente será percebida não uma mera distorção de um suposto papel da organização. Será explicitado o elemento central de surgimento de uma instituição constituidora de um aparato sistêmico para reproduzir e garantir a manutenção de desigualdades sustentadas em hierarquias raciais. Não se trata de um entrave e de uma opressão apenas policial, seria simplista colocar nesses termos e pouco sistêmico-estrutural. A falta de acesso à justiça, a advogados e defensores com tempo e qualidade desse tempo para atendimento de réus e vítimas, a morosidade, o tratamento desigual baseado no fenótipo: são todos indícios de que há, na verdade, uma constante insegurança sobre garantia de direitos no contato com esse sistema.

Acreditar que o elemento de classe não está informado pelo contexto e pelo elemento racializado e colonial da sociedade brasileira é invalidar que negros são 76% entre os mais pobres no país, que três em cada quatro negros estão presentes entre os 10% com a menor renda do país ou que, em 2015, negros recebiam, em média, 59,2% do rendimento dos brancos, mesmo com as políticas afirmativas e de incentivo implementadas nos últimos anos. Aliás, esse é um importante elemento que precisa ser debatido e enfrentado no âmbito das políticas públicas. Como que, mesmo com políticas de geração de emprego e renda que atingiam prioritariamente a população negra, a pirâmide racial do país pouco mudou? A advogada e intelectual Michelle Alexander chama isso de sistema racial de castas.[85]

Há desproporção no peso da definição das penas entre brancos e negros que cometeram um mesmo crime. Dos acusados em varas criminais, 57,6% são negros,[86] enquanto que em juizados especiais que analisam casos menos graves, esse número se inverte, tendo uma maioria branca (52,6%). Essa diferença ocorre porque a determinação de qual vara será tramitado o processo depende do tipo de pena pedida, decisão do promotor de Justiça. Nas varas criminais, a prisão é praticamente inevitável, diferente dos juizados que encaminham mais penas alternativas.

Segundo relatório divulgado pelo IPEA, "A aplicação de penas e medidas alternativas", 90,3% dos acusados são homens e 9,7% são mulheres. Desses, 75,6% possuíam, no máximo, ensino fundamental completo. A prisão provisória é uma regra no sistema de justiça criminal, sendo 54,6% dos processos transcorridas com a prisão provisória decretada. Um dado preocupante e que demonstra as falhas do sistema é o de que em 46% dos casos houve troca de defensores, em 75,4% houve troca de promotores e em 73,5% houve troca de juízes. O que significa maiores dificuldades ao acusado e distorções nas penas, já que defensores não terão tempo para conhecer o processo com a qualidade necessária; assim como promotores e juízes, decisivos na definição da pena, também não terão condições desejáveis para o entendimento do caso e, portanto, para a decisão adequada.

Uma questão assustadora é de que ainda são realizadas no Brasil prisões com o objetivo terapêutico, em casos de acusados usuários de drogas, bem como de pessoas sem domicílio e em situação de rua. Ou seja, uma determinação de punição que nos remete ao Brasil imperial!

É preciso pensar, portanto, o sistema de justiça criminal como esse reordenamento sistêmico pela manutenção desse sistema racial de castas. Ao passo que começam a existir avanços quaisquer na vida da população negra que coloquem em risco o funcionamento desse sistema de castas, há uma reorganização do racismo, que passa a operar em outras instituições para que as coisas mudem, mas mantendo tudo como está.

Sistema de Justiça Criminal Brasileiro em cores[87]

> • 84,5% dos juízes, desembargadores e ministros do Judiciário são brancos, 15,4% negros,[88] e 0,1% indígenas;
> • 64% dos magistrados são homens, 36% das magistradas são mulheres;
> • 82% das vagas nos tribunais superiores são ocupadas por homens;
> • 30,2% de mulheres já sofreram reação negativa por serem do sexo feminino;
> • 69,1% dos servidores do Judiciário são brancos, 28,8% são negros, 1,9% amarelos;
> • 67% da população prisional é negra (tanto entre homens quanto entre mulheres);
> • 56% da população prisional masculina é jovem, 50% da população prisional feminina é jovem.

GÊNERO, RAÇA E CLASSE E GUERRA ÀS DROGAS: ESTRUTURAS DE MANUTENÇÃO DAS DESIGUALDADES

> The prison has become a black hole in which the detritus of contemporary capitalism is deposited. Mass imprisonment generates profits as it devours social wealth, and thus it tends to reproduce the very conditions that lead people to prison.
> – Angela Davis, *Are prisons obsolete?*[89]

Na grande parte dos estudos e ativismos em torno da pauta do sistema de justiça criminal, pouca é a atenção dada ao debate de gênero. Muitos utilizam como argumento que os números, que demonstram um contingente maior de homens encarcerados, são o principal fator para essa negligência. Mas o sistema de justiça criminal, em seu braço penal, teve apenas modulações e ações diferenciadas em se tratando de homens e mulheres para aplicar punições, além de termos de levar em conta o Patriarcado como estrutura que determinou essas diferenciações tanto no encarceramento como, até mesmo, na definição do que seria crime para ambos. A situação das mulheres encarceradas sofre uma dupla invisibilidade, tanto pela invisibilidade da prisão quanto pelo fato de serem mulheres. Ninguém quer saber ou discutir sobre o sistema prisional. Como aponta Carla Akotirene:

> A prisão, na perspectiva das mulheres, precisa ser analisada na contemporaneidade sobre alicerces interseccionais, pois nela reside um aspecto de sexismo e racismo institucionais em concordância com a inclinação observada da polícia em ser arbitrária com o segmento negro sem o menor constrangimento, de punir os comportamentos das mulheres de camadas sociais estigmatizados como sendo de caráter perigoso, inadequado e passível de punição.[90]

As mudanças econômicas e político-ideológicas no sistema capitalista e a expansão do sistema prisional impactam especialmente as mulheres. Apesar do ainda pequeno contingente em números absolutos (35.218),[91] as mulheres compõem o segmento que mais cresce no encarceramento. Entre 2000 e 2014, houve um aumento em 567,4% no contingente de mulheres encarceradas, enquanto que o aumento entre os homens foi de 220%.[92] Raça tem se mostrado como fator decisivo para a definição de quem irá ou não preso, como já vimos. E entre as mulheres essa realidade não é diferente, apontando ainda mais a necessidade e a emergência do Feminismo Interseccional na luta por transformações sociais radicais e profundas. Das mulheres encarceradas, 68% são negras, e três em cada dez não tiveram julgamento, consideradas presas provisórias. E mais: 50% não concluíram o ensino fundamental e 50% são jovens,[93] sendo essa média de mulheres em torno de 20 anos. Portanto, o encarceramento segue como uma engrenagem de profunda manutenção das desigualdades baseadas na hierarquia racial e tendo no segmento juvenil seu principal alvo.

Podemos traçar um paralelo histórico entre as punições femininas e as punições dos escravizados, posto que ambas realizavam-se, anteriormente, no âmbito privado. Em outras palavras, durante muitos séculos, a punição às mulheres era determinada e executada por seus maridos, caso estes identificassem qualquer elemento que os incomodasse. Uma relação intensa de proprietário e propriedade, assim como demonstramos na relação entre senhores e escravizados, principalmente até o século XVIII. Segundo Angela Davis,[94] os sistemas punitivos têm sido marcadamente masculinos porque refletem a estrutura legal, política e econômica negada às mulheres. Sendo o espaço público negado às mulheres e sendo o espaço doméstico e privado sua determinação de vida, as punições ocorriam neste domínio e eram determinadas por quaisquer questões que indicassem desvios de suas funções no lar. Obviamente, essa é uma leitura ainda no âmbito puramente da vida de mulheres brancas, mas que não podemos, também, perder de perspectiva, posto que é uma das dimensões da punição no privado, a qual é remetida à violência doméstica tão forte até hoje.

Enquanto as prisões emergiam, ironicamente, como espaços de humanização da punição – transformando-se a privação de liberdade em punição –, as mulheres permaneciam subjugadas no ambiente privado, inclusive com leis que garantiam castigos físicos. Mas um dado importante na história punitiva sobre as mulheres é de que, ao passo que homens começaram a ser penalizados em prisões, foram utilizados contra as mulheres os hospitais psiquiátricos, as instituições mentais, os conventos e os espaços religiosos. Então, aos homens, a criminalidade era considerada algo da normalidade, uma quebra de contrato e, portanto, em se tratando o crime de algo da esfera de um sistema de justiça público, a punição se exerce também no âmbito público. Em paralelo se constrói nesse período a ideia de mulheres anormalizadas e desestabilizadas, portanto loucas e histéricas, e que deveriam ser tratadas sob normas e condutas médicas e psiquiátricas. Até hoje, as mulheres formam o contingente mais medicalizado da sociedade moderna, com todo tipo de fármacos para controle de "distúrbios" de ordem psíquica, além de apresentarem alto grau de doenças mentais.

Com o devido e necessário uso da interseccionalidade, temos que ressaltar a diferença substantiva de submissão a medidas punitivas entre mulheres brancas e mulheres negras escravizadas. Ao analisarmos o período escravocrata, devemos olhar os estupros e as relações sexuais por coerção de senhores contra mulheres negras escravizadas também nesse âmbito do sistema punitivo privado. Dessas relações também tivemos a construção de estereótipos hipersexualizados de mulheres negras e que apresentam resquícios no sistema penal ainda hoje. E essa visão hipersexualizada e racializada, principalmente, de uma relação totalmente desigual de poder, que se estabelece entre criminalidade e sexualidade potencializando essas vulnerabilidades no interior do sistema prisional. Essa diferenciação, contudo, não se encerra quando pensamos o sistema prisional e punitivo contemporâneo. Mesmo na lógica dos presídios, há uma forte diferença de tratamento – oportunidades para remissão de pena e de punições – entre mulheres negras e mulheres brancas.

> [...] mulheres brancas, em virtude da maior escolaridade, recebem os melhores cargos de trabalho dentro da prisão, ao contrário das negras, em maioria com serviços pesados e de limpeza, consequentemente, prejudicadas pelo benefício do indulto e da remissão de um dia de pena por cada três dias trabalhados.[95]

Outro fator que nos chama a atenção em como as opressões operam de modo interseccionado e diferenciado entre mulheres brancas e mulheres negras e indígenas é de que a insanidade, como dido, foi sexualizada e aplicada às mulheres brancas. Mas às mulheres negras e às indígenas a criminalização sempre esteve presente, além de práticas punitivas muito mais severas e de posse de seus corpos. Angela Davis ressalta que "como escravas, elas eram brutalmente disciplinadas por condutas consideradas normais" em um contexto de liberdade.[96] No livro *Are prisons obsolete?*, Davis apresenta uma das formas de punição para mulheres negras escravizadas e gestantes que não cumpriam suas cotas de tempo e rapidez de trabalho, relatando que era determinado que elas se deitassem no chão com as barrigas em um buraco para serem chicoteadas ao mesmo tempo em que se preservava o feto não com intentos humanizantes, mas como modo de salvaguardar uma propriedade futura.

Até o século XVIII, as mulheres eram consideradas incorrigíveis, posto que suas transgressões eram determinadas pelo campo moral e pelo descumprimento de seus papéis sociais domésticos e cuidadores. As punições masculinas estavam no âmbito da correção, sendo colocada também a privação como momento de reflexão, trabalho e forma de corrigir e reformar esses homens. No entanto, como as mulheres não tinham status de cidadania, direitos políticos iguais aos dos homens, não eram vistas como passíveis de reforma no mesmo grau em que os homens. As propostas que surgiram no contexto das reformas, todavia, não romperam totalmente com essa lógica, já que propunham espaços de domesticação das mulheres. Então, se houve a transgressão moral do papel social e o campo da criminologia adentrava uma perspectiva de "cura" e de correção, caberia, então, a recuperação de valores e de uma moral domesticada para as mulheres como mães e esposas. Nesse campo, obviamente, a domesticação também não atingiu todas as mulheres de forma igual. Enquanto que para as mulheres brancas o enfoque foi o de transformá-las em boas esposas e donas do lar, para as mulheres negras e pobres o intento foi o de criar boas serviçais e trabalhadoras domésticas.

É apenas no começo do século XX que as punições femininas vão ganhando mais proximidade com as punições masculinas. No Brasil, apenas a partir dos anos 1980 que passam a ser asseguradas condições de salubridade e ambientes próprios para as mulheres em situação prisional. Porém, um movimento de reforma de separação, mas, com igualdade, acontece mais após os anos 1990. Ocorre que a igualdade prisional significou igualdade de repressão e agravamento de punição pela dupla e tripla condição de opressão da maioria esmagadora das mulheres que compõem o sistema prisional. As mulheres têm necessidades diferenciadas e esse uso de respeito a um tratamento igual intensifica o contexto de violência a que essas mulheres são submetidas no contínuo desrespeito aos direitos humanos nas unidades prisionais. Um exemplo é a falta de absorventes, fazendo com que várias tenham que recorrer a expedientes alternativos e insalubres, como o uso de miolo de pão em seus ciclos menstruais. Outro exemplo é do uso de papel higiênico, quando é sabido que mulheres utilizam mais o sanitário para urinar do que homens, obrigando-as a situações aviltantes de utilização de pedaços de jornais velhos e sujos para sua higiene íntima.

Esses são exemplos que demonstram como gênero é uma categoria fundamental para entendermos punição e sistema punitivo na contemporaneidade. Há várias formas de violência do mundo livre que também são reproduzidas no confinamento de modo agravado como características e padrões de violências psicológicas, físicas e domésticas. Negligência médica, negação de acesso ao controle reprodutivo e a remédios são alguns dos desrespeitos e das violências a que são submetidas as mulheres encarceradas.

Infelizmente, encarceramento sempre significou mais do que privação de liberdade. No caso das mulheres, enquanto que visibilizamos a violência doméstica no debate público, não trazemos para o centro do debate a invisibilidade e a situação de extrema violência no cárcere. As prisões dependem da violência para funcionarem. E esse contexto de intensa violência, adquirindo contornos de violência psicológica contra as mulheres de forma muito mais intensa, corrobora o ambiente perverso de relacionamentos abusivos.

No campo da Saúde, no sistema prisional há mais chances de contrair HIV/AIDS e não há tratamento adequado para as mulheres com agravo do vírus.[97] No Brasil, segundo dados do InfoPen, há apenas 32 profissionais ginecologistas para atender todo o universo de mulheres encarceradas. Apesar de terem assegurado o acesso ao pré-natal, fica evidente nos dados que muitas delas interrompem acesso regular à Saúde.[98] O relatório "Mulheres em prisão", do Instituto Terra, Trabalho e Cidadania (ITTC), de 2017, aponta que 48,8% das mulheres em situação prisional eram mães, sendo que a idade média dos filhos é de 9 anos. Então, essas mulheres poderiam perfeitamente estar respondendo em prisão domiciliar. Em março de 2016, a presidenta Dilma Rousseff sancionou o Marco Legal de Atenção à Primeira Infância em que expande possibilidades de substituição da prisão preventiva para a domiciliar para mulheres-mães encarceradas. Mas, efetivamente, e sem mudanças radicais e substanciais no sistema de justiça criminal, pouco temos avançado. O direito ao pré-natal é notadamente violado, além dos graves relatos de partos realizados com mulheres algemadas, que ainda persistem, sendo que, em 2016, a Comissão de Constituição e Justiça aprovou, em caráter terminativo, a proibição desse procedimento.

Um elemento que explicita sobremaneira o caráter sexista como estrutura punitiva no sistema prisional são as revistas, chamadas de "revistas vexatórias". O nome não existe por acaso. O que se tem nessa prática é muito mais do que uma suposta prevenção e resguardo à segurança de agentes penitenciários, há uma explícita política de controle do corpo de outrem pelo exercício de poder e humilhação. Muitas mulheres relatam deixar de visitar seus parceiros, suas filhas e seus familiares presos pelos níveis degradantes a que são submetidas nessas revistas. A despeito de algumas leis estaduais terem sido sancionadas, não há mecanismos para fiscalização, e poucas leis foram regulamentadas para efetivar o fim dessas práticas (e sabemos que não acabaram!). É uma prática que atenta contra a dignidade humana e humilha familiares, principalmente mulheres, e também as pessoas em situação prisional. O argumento de prevenção e segurança cai por terra, ao considerarmos dados que demonstram que apenas 3,66% da apreensão de celulares e 8% da apreensão de entorpecentes ocorrem após as revistas em visitantes.[99]

Diversas estudiosas e intelectuais têm apontado a chamada "guerra às drogas" como um fator central no aumento exponencial do encarceramento e como discurso que impulsiona e sustenta a manutenção de desigualdades baseadas em hierarquias raciais. As mulheres, por sua vez, são o segmento que mais tem sentido esses impactos.

O tráfico é a primeira das tipificações para o encarceramento. Das mulheres encarceradas, 62% estão respondendo por crimes relacionados às drogas, enquanto que entre os homens esse percentual cai para 26%. A Lei de Drogas aprovada no Brasil (Lei nº 11.343, de agosto de 2006) teve impactos diretos no hiperencarceramento do país.

A nova lei substituiu uma anterior, de 1976, e instituiu uma Política Nacional sobre Drogas, orientando estados na integração de políticas públicas. Ocorre que, além disso, ela traz uma distinção no tratamento entre usuários e traficantes. No campo do usuário, a lei se aproxima mais de medidas de saúde pública, ou seja, o usuário não pode mais ser preso em flagrante e responde em penas alternativas, além da assinatura de um termo circunstanciado. Já ao traficante, a pena foi endurecida com punição de 5 a 15 anos, e condenados por tráfico não podem beneficiar-se de extinções de penas.

A pergunta levantada é: quem define se uma pessoa é usuária ou traficante? Diante de tudo que discutimos até aqui, quais são as chances de uma mulher negra, com uma pequena quantidade de substância ilícita, ser considerada traficante e não usuária? Quais as influências sociais, políticas, territoriais, raciais e de gênero para a definição dessa diferenciação? Eu respondo: todas as influências.

No artigo 28 da Lei nº 13.343/2006, está descrito que o juiz terá sua decisão determinada se a droga estava destinada a consumo pessoal ou para o tráfico a partir da natureza, da quantidade de substância, do local, das condições em que a ação de apreensão foi desenvolvida, das circunstâncias sociais e pessoais, bem como da conduta e dos antecedentes da pessoa analisada. E quem apresenta o boletim com dados sobre quantidade de substância, condições da ação? Considerando tudo isso, a nova lei teve impacto direto no número abrupto e acentuado que levou o Brasil ao posto de terceira população carcerária do mundo. Ao termos uma instituição jurídica e policial em que as teorias deterministas e lombrosianas ganharam terreno fértil, quem será definido/a como traficante e usuário/a?

De 2006 a 2014, quando temos dados oficiais pelo InfoPen, o número de encarcerados aumentou em mais de 200 mil pessoas em um período de oito anos, sendo que de 1990 a 2005, um período de 15 anos, houve cerca de 27 mil pessoas encarceradas. O aumento é assustador.

Segundo a Iniciativa Negra por uma Nova Política sobre Drogas (INNPD), a lei não tem uma visão sistêmica e totalizante sobre tráfico de drogas, muito menos tem como objetivo desmantelar, de fato, essa economia ao focar em pequenos traficantes, contingente em que as mulheres têm predominância. Se pensarmos o tráfico como uma indústria, a estrutura espelha a do mercado formal de trabalho. Em outras palavras, cabe às mulheres posições mais vulneráveis e precarizadas, e com mais diferenças se adicionarmos o quesito cor. Além disso, diversos são os estudos que demonstram que várias prisões de mulheres são realizadas em operações nas quais o foco eram os parceiros ou familiares dessas mulheres, que acabam sendo detidas por associação ao tráfico.[100]

Sendo o patriarcado um sistema baseado na supremacia masculina e tendo apontado como isso acarreta impactos políticos, econômicos e, sobretudo, morais nas vidas das mulheres, o que teremos com esse cenário de encarceramento é a realidade de penas mais duras para mulheres, principalmente negras, ao adicionarmos o elemento racista, frente a delitos mais leves. Das mulheres encarceradas, 63% têm penas de até oito anos,[101] sendo esse um dado que reafirma o já dito.[102] E, apesar de possuirmos a comprovação de que muitas são mães, 45% delas cumprem penas em regimes fechados. Dessas mulheres, 40,6% estavam desempregadas, e em 96,5% dos autos de prisão há referências ao uso de drogas, reforçando uma narrativa de drogas como problema, invertendo a lógica de que, na verdade, são as vulnerabilidades sociais que levam ao uso abusivo de substâncias. A imensa maioria dessas mulheres é responsável por seus familiares e filhos em uma rede de cuidados e sustento da família. Delas, 72% não chegaram a concluir o Ensino Médio e, apesar da Lei de Execução Penal determinar que é dever do Estado fornecer assistência educacional, tanto instrução escolar quanto profissional, apenas 25,3% das mulheres em situação prisional estão envolvidas em atividades educacionais formais.

Conforme aponta a advogada Michelle Alexander,[103] é preciso que derrubemos alguns mitos sobre a Guerra às Drogas. O primeiro é o de que o objetivo da guerra às drogas é livrar o país do tráfico. Isso é evidente quando vemos os dados da quantidade de substâncias apreendidas supostamente na posse de mulheres que acabam encarceradas. Um exemplo paradigmático, apesar de ter acontecido com um homem, é o do jovem Rafael Braga.

Rafael Braga é o único jovem condenado, até agora, pelos protestos de junho de 2013,[104] por portar um frasco de desinfetante. Era catador e procurava por qualquer coisa de utilidade para vender em feiras e ajudar sua mãe no sustento de mais sete irmãos. Viu-se em meio a uma manifestação e forte repressão policial, enquanto tentava levar produtos de limpeza para sua tia. Foi preso e levado para a delegacia. Policiais civis atestaram que Rafael tinha como intenção produzir artefatos explosivos com as garrafas e estopim com panos. Rafael afirma que estava com os frascos de desinfetante lacrados e que protestou ao chegar à delegacia e observar que eles haviam sido adulterados. Apesar dos laudos técnicos atestarem que a água sanitária não produziria artefato explosivo e que o desinfetante continha quantidade mínima e impossível para explosão, Rafael Braga foi condenado a cinco anos de prisão por suposta "intenção de produzir artefato explosivo". O início da pena foi cumprido em regime fechado, pena essa determinada pelo juiz por Rafael supostamente estar foragido da justiça no momento da prisão, permanecendo preso cautelarmente ao invés de poder recorrer em liberdade. No entanto, a folha de antecedentes de Rafael Braga provava o contrário. Um grupo de policiais passou a defendê-lo e, ao conseguir um emprego de ajudante de serviços gerais, pôde seguir cumprindo a pena em regime semiaberto. Em dezembro de 2016, foi transferido para o regime aberto, usando tornozeleira eletrônica. Na manhã de 11 de janeiro, quando saiu para comprar pão, ainda perto de sua casa, Rafael Braga foi abordado por policiais que afirmaram encontrar com ele uma sacola que continha 0,6 gramas de maconha e 9 gramas de cocaína e um rojão para alertar traficantes sobre a presença de policiais na favela. No entanto, segundo Rafael, ele foi abordado sendo chamado de "bandido" e conduzido até um beco em que foi agredido. Os policiais demandavam informações sobre o tráfico e ameaçavam Rafael de que plantariam uma arma e drogas como sendo suas, e então o matariam. Foi encaminhado para a delegacia. Os depoimentos dos policiais são inconsistentes e apresentam contradição. Rafael Braga nega todas as acusações. Os pedidos da defesa de Rafael para acessar o GPS da tornozeleira foram negados. E Rafael Braga foi condenado a 11 anos e três meses de detenção por tráfico e associação ao tráfico. O jovem adquiriu tuberculose durante o período na prisão e, agora, está em prisão domiciliar.

No caso das mulheres, é muito comum o relato de buscas e "apreensões" e invasões sem mandado de busca em seus domicílios; tortura e humilhação para obter informações das quais sequer elas têm conhecimento; relatos de prisão pela proximidade com algum familiar envolvido com o tráfico; prisões quando transportando pequenas quantidades, sendo que muitas são intimidadas a fazer isso. A imensa maioria dessas mulheres é ré primária, ou seja, jamais teve passagem pelos registros policiais e, quando estabelecem algum tipo de relação com o tráfico, esse processo se dá na base da cadeia econômica do tráfico, ao que conclui a advogada e pesquisadora Luciana Boiteux que suas prisões não têm nenhum impacto na dinâmica e no funcionamento da economia das drogas.[105]

Como é possível uma condenação de 11 anos e três meses por um suposto porte de 0,6 gramas de maconha e 9 gramas de cocaína enquanto diversos casos de quilos e quilos de pasta base de cocaína no país seguem sem esclarecimentos? Veja, não se trata de defender o punitivismo, mas de apontar a seletividade do sistema de justiça criminal diante de duas situações diametralmente opostas em gravidade e risco para a sociedade.

Outro mito que Alexander nos coloca para desmontar é o de que a Guerra às Drogas é focada, principalmente, em "drogas perigosas", quando a realidade demonstra o contrário. Em pesquisa do Instituto de Segurança Pública, em 2014, foi demonstrado que a maioria das apreensões no estado do Rio de Janeiro, por exemplo, é de pequenas quantidades de drogas. Em 50% das ocorrências, o volume de maconha não passava de 6 gramas. Desses casos, 75% teve como volume máximo de maconha cerca de 42 gramas por ocorrência. No caso da cocaína, em 50% das ocorrências, o máximo apreendido foi de 11 gramas. E no caso do crack, 50% das apreensões foi de no máximo 5,8 gramas.[106] A guerra às drogas, na verdade, abre uma era de criminalização, militarização e punitivismo sem precedentes. É fundamental desmistificar o mercado das drogas e discutir que esse mercado, na ilegalidade, vulnerabiliza vidas, estabelece uma dinâmica policial e de maior insegurança nas comunidades afetadas e, inclusive, ameaça instituições e a própria democracia, já que para funcionar demandam um amplo nível de corrupção.[107] A guerra às drogas é central no genocídio da população negra brasileira.

Uma das ações de que mais se tem notícia na guerra às drogas são as paradas de suspeitos. As pessoas pouco sabem sobre seus direitos de ficarem em silêncio ou de se recusarem a responder determinados questionamentos.[108] Pior ainda, a polícia, agindo como a própria lei, e tendo o poder do Estado investido em si naquele território, obviamente deixa as pessoas intimidadas. Ao crescer aprendendo que a polícia é um agente repressor que mata, dificilmente um jovem negro, mesmo sabendo de seus direitos, terá coragem de não responder a perguntas ou questionar alguma abordagem. Não responder pode ampliar a suspeição sobre o indivíduo em uma sociedade do senso comum de "quem não deve, não teme". Com isso, vemos muitas mortes de jovens negros sendo descritas como consequências de resistência à prisão, os autos de resistência.[109] Segundo dados do Atlas da Violência,[110] jovens negros aos 21 anos têm 147% mais chances de serem assassinados do que jovens brancos. Os números são alarmantes. E não podemos perder de vista o aumento, cada vez maior, de jovens mulheres também vítimas da violência urbana. Essa guerra às drogas, definitivamente, tem centralidade nessa nova engrenagem sistêmica para a manutenção das desigualdades baseadas nas hierarquias raciais.

A guerra às drogas, o encarceramento e o genocídio da população negra definitivamente são pautas prementes das mulheres negras. A construção do saber das mulheres negras, conforme apontam uma série de intelectuais negras como Angela Davis, Patricia Hill Collins, Sueli Carneiro, Lélia Gonzalez, Beatriz Nascimento e tantas outras, demonstra que a construção e a luta por igualdade das mulheres negras são marcos de melhoria na vida de toda a sociedade. Para as mulheres negras, o empoderamento necessariamente perpassa uma luta e ganhos coletivos, no qual "uma sobe e puxa a outra", no qual todas subimos juntas e juntos em libertação. Nesse sentido, discutir as condições de vida e de vulnerabilidade de nossas comunidades, de nossas mulheres mais invisibilizadas pelo sistema prisional deve ser uma de nossas pautas mais importantes.

É essa engrenagem reordenada e reorganizada do racismo que continua a girar sob um novo marco, mais violento e que não visa apenas o controle sobre nós, mas nosso extermínio simbólico e físico.

Um mundo sem prisões: a verdadeira abolição é uma luta das mulheres

W. E. B. Du Bois, historiador e sociólogo norte-americano do século XIX, já denunciava que no pós-abolição que as prisões foram utilizadas como reorganização da instituição escravocrata.

Desde 1876, os negros foram encarcerados pela mínima provocação e receberam sentenças longas ou multas pelas quais eles eram compelidos a trabalhar como se fossem novamente escravos ou criados contratados. A consequente escravidão econômica de criminosos se estendeu para todos os estados do sul e levou a situações revoltantes.[111]

No Brasil, há diversos intelectuais, como Abdias do Nascimento, que denunciaram a falsa abolição no Brasil e como o racismo foi se rearticulando para manter suas amarras sobre o povo negro. Vemos no decorrer do livro como o racismo pode ser pensado como um "mito fundante" de nosso país. O Brasil se funda e se forma tendo na instituição da escravidão seu principal eixo econômico e ideológico. Com os ventos modernizantes, as instituições criadas, seja passando pelo Brasil imperial, seja nos marcos da República, teve uma série de ordenamentos políticos, econômicos, jurídicos e sociais para, mesmo com mudanças, tudo manter-se como sempre foi. Nesse sentido, concordo com o argumento de Michelle Alexander de que, tanto nos EUA quanto no Brasil, vivemos sob um sistema de castas raciais. Por mais que políticas sociais tenham realizado mudanças robustas no acesso e na vida da população negra brasileira, é possível enxergamos como as estruturas racistas se reordenam para que, estruturalmente, pouco se modifique. A falta, portanto, de uma perspectiva interseccional na formulação de políticas públicas é um fator decisivo.

Vivemos em um país que se estrutura sob motivações privadas e patrimoniais, para a expropriação pelas potências europeias. Essa lógica, com o processo de independência, não é rompida, pelo contrário, é reafirmada e reorganizada para garantir que a hierarquia racial se mantenha, agora, sob o verniz de desigualdades puramente sociais. E, infelizmente, temos um campo progressista que, historicamente, pouco se debruça e compreende que não é possível apagar mais de 300 anos de escravização e a importação, bem-sucedida, de teorias eugenistas em um momento central de formação e constituição das instituições do Estado. Quando acusamos que o capital tem sequestrado Estados nacionais numa das maiores crises sistêmicas do capitalismo já vividas, é possível dizer que o Estado brasileiro sempre funcionou sob os interesses privados de elites que, como já apontamos, mesmo não sendo homogêneas, se unificam em torno de um projeto comum que garante que a estrutura racial do país se mantenha – mesmo que em alguns períodos abra caminho para relativos avanços.

O conhecido "complexo de vira-latas", sempre comentado em momentos cruciais do país, tem mais relações com teorias que ordenaram o pensamento racista do que podemos imaginar. Há um senso comum no país de sempre tentar ligar-se a uma ascendência europeia. No caso da classe média, em uma evidente alusão à imigração do início do século XX. No Brasil, afirmar antepassados puramente africanos e indígenas é visto como algo inferior e sempre resultará em algum comentário sobre a "certeza" de que há alguma ligação portuguesa na consanguinidade. Hannah Arendt, em *Origens do Totalitarismo*,[112] apresenta as noções de Boulainvilliers, um nobre francês que interpretava a história da França como a história da conquista de um povo sobre outro. Um povo de origem germânica que havia conquistado os gauleses, povos originários daquela região sendo, portanto, os nobres com direitos supremos e de conquista e, com isso, os "verdadeiros" franceses. Arendt nos rememora que Boulainvilliers incitou a nobreza da época a negar a origem comum dos franceses, buscando uma distinção e um senso de superioridade para exercer domínio. Portanto, uma casta que se identificava mais com ideias, costumes e condição de povos de fora do que com o povo originário. Isso me rememora Michelle Alexander falando em "sistema de castas raciais" para falar de racismo na contemporaneidade. Arendt segue ainda dizendo que as ideias antinacionais, em uma época que a ideia de nação era algo revolucionário na Europa, exerceu forte influência e foi totalmente absorvida pelas doutrinas raciais posteriores. Nesse sentido, é possível fazer uma rápida reflexão e conexão com elites antinacionais brasileiras: essa relação e essa formação da psique brasileira estão muito mais próximas à ideologia racista do que podemos imaginar. Aliás, está constituída a partir da ideologia racista. Ser superior significa ser de fora, segundo esse pensamento fundante. O racismo institucional, casado à expressão discriminatória e à violência racista do país, se configura nessa necessidade de distinção e, portanto, de inferiorização do outro que se pretende explorar e, também, exterminar.

A ascensão de negros e negras a bens de consumo veio casada com um aumento abrupto da violência sofrida por essa parcela da população como uma resposta sistêmica para que as desigualdades baseadas nas hierarquias raciais permaneçam. Nesse sentido, é impossível pensar em qualquer projeto de desenvolvimento nacional sem que a questão racial seja, com a questão de gênero, um pilar essencial e central. A pobreza no Brasil tem cor. Aliás, negros são pobres porque são negros no Brasil. E não são negros porque são pobres. Nesse caso, a ordem dos fatores altera e muito o produto e o entendimento necessário para a produção de políticas e projetos estratégicos que realmente transformem a realidade do país. É com isso e nesse bojo que o pensamento feminista negro se torna uma emergência.

O pensamento feminista negro se estabelece apontando o elemento da pluralidade de existências e pautando-se contra universalidades. A socióloga afro-americana Patricia Hill Collins[113] afirma que uma das premissas é de que o pensamento feminista negro não é um aditivo de outros feminismos, mas uma formulação a partir das necessidades, dos conhecimentos e das formas de atuação política próprias das mulheres negras. Dos pontos defendidos pela intelectual, constituem-se alguns elementos centrais do pensamento feminista negro: a defesa de si conectada à defesa do outro, ou seja, o senso de humanidade indissociável da luta feminista negra, tendo em vista o processo de desumanização que corpos negros passaram, seja das populações negras em diáspora, seja da constante desumanização das populações negras em África; a interseccionalidade, que evoca a heterogeneidade; a disputa pelo poder, e não de identidades, como centro desse pensamento, tendo na luta anticapitalista sua forma, já que o Capitalismo é um sistema indissociado das desigualdades e da dominação do outro visando o lucro e o acúmulo e a concentração de riquezas; e a descolonização dos corpos, das mentes e dos espíritos negros, seja na noção metafórica, seja na noção literal e de entendimento de defesa da liberdade.

Essas reflexões centrais apontam, portanto, que o pensamento feminista negro traz uma crítica global e sistêmica das opressões e, ao interseccioná-las, jamais prescinde da crítica à dominação classista, racista e machista. Com isso, como aponta a filósofa e feminista interseccional Djamila Ribeiro, o feminismo negro nos permite pensar "um novo marco civilizatório".[114]

Nesse sentido, a pauta do encarceramento sendo central para este novo modo de aprofundamento exploratório capitalista, ganha, portanto, centralidade para as mulheres negras. Mas quais seriam as alternativas apontadas para lutarmos contra mais essa instituição fundada e fortalecida com base na punição notadamente de pessoas negras?

Angela Davis afirma em diversos textos que transformações reais na vida da população negra e, consequentemente, sistêmicas e para todos e todas devem ser radicais.

Se não tivermos medo de adotar uma postura revolucionária – se desejarmos, de fato, ser radicais em nossa busca por mudança –, precisaremos atingir a raiz da nossa opressão. Afinal, radical significa simplesmente "compreender as coisas desde a raiz".[115]

Nesse sentido, entendo que nossas respostas e nossa organização para o tema do encarceramento têm a ver com a defesa intransigente do desencarceramento. Um primeiro passo, por exemplo, seria pensar nas mais de 40% das pessoas em situação prisional que estão em prisão provisória, ou seja, sem julgamento. Uma parcela imensa delas responde por tráfico de drogas e em quantias mínimas. Qual é a periculosidade real dessas pessoas à sociedade, se a maioria dos seus delitos é de microtráfico e considerados não violentos?

Diversos foram os dados apontados aqui sobre as condições desumanas a que as pessoas, principalmente as mulheres ao interseccionar gênero, raça e classe, vivem em presídios. De fato, é preciso que, do ponto de vista imediato e da vida dessas pessoas, nós lutemos e impulsionemos modos de luta, principalmente das próprias pessoas em situação prisional, para organizarmos e contestarmos as injustiças do encarceramento. Devemos, cada vez mais, entender a centralidade dessa agenda pela real libertação da população negra, nunca verdadeiramente liberta, e denunciar negação de direitos fundamentais e como esse sistema de justiça criminal precisa ser modificado. Contudo, como aponta Angela Davis, a tática deve ser essa, mas o objetivo estratégico deve ser muito maior do que condições melhores nos presídios, posto que funcionam como solução única para diversos problemas sociais que precisam do envolvimento de outras instituições. Portanto, as prisões são depósitos do que a sociedade marginaliza e nega. E, nesse sentido, é preciso buscarmos outras questões, mais profundas, que garantam que cada vez menos pessoas sejam encarceradas e que não precisemos mais de prisões. Conforme a mesma aponta, muitas pessoas, e mesmo em discussões no Brasil, ainda têm uma visão muito restritiva quando defendemos o fim das prisões. As ideologias punitivista e racista operam de modo tão articulado e estão tão internalizadas, que muitas pessoas simplesmente não conseguem conceber uma realidade sem aprisionamentos. No entanto, é na prisão que o racismo tem sido mantido e reproduzido e sua expansão tem gerado impactos diretos em nossas comunidades, nossos morros e nossas favelas.

Volta e meia assistimos pelos noticiários as "crises" no sistema penitenciário brasileiro. Será mesmo uma crise? E por que não conseguimos vislumbrar alternativas para um sistema que vemos, explicitamente, que pouco funciona no sentido de "restaurar" pessoas ao convívio social? Se nem na sua proposta mais retrógrada, que é de remodelamento de corpos, o sistema tem se mostrado efetivo, por que insistimos nessa proposta? O argumento de que o aprisionamento tem garantido a nossa segurança se mostra cada dia mais falho. Nossas comunidades estão cada dia mais militarizadas, cada dia mais sob vigilância e continuamos não nos sentindo seguros. Por quê? Precisamos questionar a ideia de crime e criminoso. Do modo que isso está posto e se reproduzindo, os criminosos e os crimes são cometidos apenas por pessoas negras e indígenas. Continuamos sendo criminalizados por existirmos, pela persistência e pela reorganização do poder do racismo em nossas sociedades. Quem define o crime e o criminoso?

Precisamos pensar nas prisões. Pela taxa de aprisionamento brasileira, se continuarmos nesse ritmo, em 2075 uma em cada dez pessoas estará encarcerada. Como pensar que isso não nos diz respeito? Não podemos mais permanecer com o pensamento de que as prisões não nos dizem respeito, que se trata de um problema dos outros, inclusive porque esse processo tem relações diretas com a sociedade aqui fora. O encarceramento em massa tem mudado a dinâmica de comunidades, de milhares de famílias, sem contar a ligação que existe entre esse aumento e a força, cada vez maior, das facções que, inclusive, surgem dentro dos presídios. Se em um primeiro momento como forma de garantir as mínimas condições de sobrevivência nos presídios, o que ainda é uma realidade, isso tem impacto direto no poderio crescente que tem dentro e fora desses equipamentos. Ao passo que dados demonstram as vulnerabilidades sociais das pessoas encarceradas, fica evidente que foram essas exposições e essas ausências que levaram essas pessoas a uma criminalização e uma punição, e não o contrário. Portanto, é de nossa responsabilidade pensar em alternativas, vislumbrar futuros harmônicos e de igualdade radical.

Este é o trabalho ideológico que a prisão performa: nos libera da responsabilidade de nos engajarmos seriamente com os problemas da sociedade, especialmente produzidos pelo racismo e pelo capitalismo global.[116]

No Brasil, a cada nova crise, ressurge o argumento do sistema penitenciário ser aberto para o capital privado. Enquanto nos EUA, cada vez mais, há um debate se abrindo pelo desencarceramento – mesmo que isso tenha já as corporações em um movimento de vigilância privado e doméstico[117] –, vemos no Brasil a importação de modelos falidos. As corporações do capitalismo transnacional se expandem e buscam novos territórios com mão de obra mais barata possível. Interferem para que direitos trabalhistas sejam negados e suprimidos, causando imensa vulnerabilidade nas comunidades. Esse ciclo reforça o superencarceramento que não é um fenômeno apenas brasileiro, mas que desponta em um contexto global. Como fechar os olhos para isso?

Precisamos, portanto, pensar em novos horizontes mais ousados e radicalizados. Precisamos repensar o sistema de justiça que se organiza não pela vingança e pela punição, mas, principalmente, pela restauração e pela reconciliação.

As prisões e o sistema de justiça criminal estão articulados a uma teia muito maior e, portanto, é preciso pensar estrategicamente, também, em respostas que retirem as prisões do horizonte de soluções para outros problemas. Não se trata de substituição da punição, mas de fim da necessidade de punir. Essa rede passa por um sistema de saúde de boa qualidade, educação como espaço de cidadania e compartilhamento, desmilitarização, direito à habitação, saneamento, cultura, lazer e uma política de drogas que legalize o uso de substâncias.

Carl Hart, neurologista norte-americano, aponta que a ligação real acontece entre o lucro do comércio de drogas e não entre drogas e crime violento.[118] O estereótipo social é o de que drogas, principalmente crack e cocaína, costumam levar ao crime ou transformar pessoas tranquilas em pessoas violentas. Estudos norte-americanos apontaram uma relação de apenas 2% dos detidos como viciados que cometeram crimes violentos. No entanto, a grande maioria dos casos de detentos envolve a "venda" dessas substâncias. Portanto, a criminalização e uma ação contra o tráfico que "enxuga gelo" só têm efeitos cada vez mais perversos em nossas comunidades. A guerra às drogas tem levado um contingente imenso de negros e negras para o sistema prisional. Obviamente, essas ações devem estar articuladas a redes de saúde mental, autonomia para pessoas que, ao sentirem o uso abusivo de substâncias, tenham condições de acompanhamento. Mas devemos olhar essa questão como Saúde Pública, fundamentalmente como garantia de direitos e cidadania.

Essas políticas hoje implementadas têm atingido mais as mulheres, justamente porque o contexto de vulnerabilidades atinge aquelas que têm sido, cada vez mais, as responsáveis pelos cuidados e pelo sustento de seus familiares, e por conta da feminização crescente da pobreza. A falta de acesso à educação, à informação, a direitos sexuais e reprodutivos garantidos e respeitados, a condições dignas de moradia e a empregos dignos tem levado essas mulheres a recorreram a outros escapes para manter a vida de seus filhos, de suas mães e demais familiares.

As Regras das Nações Unidas para o Tratamento das mulheres presas e medidas não privativas de liberdade para mulheres infratoras, conhecidas como Regras de Bangkok, definidas em Assembleia Geral da Organização das Nações Unidas (ONU), em 2010, tratam de questões específicas das mulheres, devido à onda de superencarceramento desse segmento, que precisam ser observadas e colocadas em prática e que priorizam medidas alternativas à prisão. Algumas medidas, ainda tímidas, têm sido tomadas. Contudo, precisamos de alternativas que abordam o racismo, a dominação masculina, o classismo, a LGBTfobia e outras estruturas de dominação de modo interseccionado para que avancemos em uma agenda pelo desencarceramento.

Apesar de uma ideologia que nos impregna, não há relação entre crime e castigo. Como aponta Davis,[119] a relação estabelecida é da insistência no cárcere como justiça. Isso tem se mostrado absolutamente equivocado. As ligações têm sido, historicamente, entre punição e raça, entre gênero e castigo, entre classe e criminalização e punição. Portanto, é a perspectiva racializada que define quem será ou não punido. É a perspectiva de condição social que definirá se você terá ou não dinheiro para a fiança e se ficará ou não preso. É a perspectiva de gênero, em você sendo mulher, que trará uma carga moral ao julgamento e que definirá sua punição. Em sendo, portanto, a prisão um ato político, porque definida em regras políticas, todos e todas nós que atendamos a essas características do que deve ser abominado, marginalizado, controlado e, em última instância, exterminado, como mulheres, pobres, negras e LGBTs, nos coloca na mira e na possibilidade de uma prisão.

Precisamos pensar que as prisões não estão distantes de nós. Elas são produto de negligência e políticas que tratam diferenças como desigualdades. Em sendo o feminismo negro e a produção teórica e ativista de mulheres negras um questionamento às desigualdades baseadas em hierarquias raciais e a busca radical por transformações, lutar contra uma guerra às drogas que violenta, encarcera e mata nossos filhos, companheiros, irmãos, tios, pais, sobrinhos, filhas, irmãs, primas e nós mesmas é uma emergência. Como diz Angela Davis, só seremos livres em um mundo sem prisões.

NOTAS E REFERÊNCIAS

1. No original, "(...) in our name". HALL, Stuart. Cultural Identity and Diaspora. In: RUTHERFORD, Jonathan (ed.). *Identity, Community, Culture Difference*. London: Lawrance and Wishart Limited, 1990, p. 222.

2. LIDDEL, H. G.; SCOTT R.; JONES, H. S. *Greek-English lexicon with a revised supplement*. 9. ed. Oxford: Clarendon Press, 1996.

3. Davis, Angela. "Vamos subir todas juntas: perspectivas radicais sobre o empoderamento das mulheres afro-a-mericanas". In: Mulheres, Cultura e Política. Trad. Heci Regina Candiani. São Paulo: Boitempo, 2017.

4. FERREIRA, A. B. de H. *Novo dicionário da língua portuguesa*. 2. ed. Rio de Janeiro: Nova Fronteira, 1986.

5. Relatório Levantamento Nacional de Informações Penitenciárias (InfoPen); atualizado em junho de 2016.

6. Infopen, junho 2016.

7. O uso da categoria "negro" adotado no livro é com base na definição do IBGE: pretos e pardos.

8. IBGE.

9. Jovens, segundo o Estatuto da Juventude, é a população entre 18 e 29 anos.

10. InfoPen, 2014.

11. REIS, Vilma. *Atucaiados pelo Estado*: as políticas de segurança pública implementadas nos bairros populares de Salvador e suas representações de 1991 a 2001. Dissertação de Mestrado: UFBA, 2005, p. 54.

12. Infopen Mulheres, 2014.

13. Idem.

14. Idem.

15. Idem.

16. Dados de pesquisa realizada pelo Conselho Nacional de Justiça, em parceria com a Universidade Católica de Pernambuco, de 2015.

17. Instituto Data Popular, 2014.

18. ALEXANDER, Michelle. *The new Jim Crow*: mass incarceration in the age of colorblindness. New York; London: The New Press, 2010, p. 7. Tradução livre da autora para "system of racialized social control".

19. Mais informações disponíveis em: <http://iniciativanegra.com.br/>. Acesso em: 9 dez. 2017.

20. MBEMBE, Achille. *Necropolitics*. Trad. Libby Meintjes. Public Culture. Duke University Press, 2003.

21. BORGES, Juliana. "Necropolítica na metrópole: extermínio de corpos, especulação de territórios". Coluna no Blog da Boitempo, jun. 2017. Disponível em: <https://blogdaboitempo.com.br/2017/06/01/necropolitica-na-metropole-exterminio-de-corpos-especulacao-de-territorios/>. Acesso em: 9 dez. 2017.

22. CARNEIRO, Sueli. Ideologia Tortuosa. Documento da Articulação de Mulheres Negras Brasileiras – Rumo à 111 Conferência Mundial contra o Racismo, a Discriminação Racial, Xenofobia e Formas Conexas de Intolerância, p. 1-2.

23. Um dos mais influentes e importantes cientistas sociais da atualidade, de origem eslovena.

24. ŽIŽEK, Slavoj. Introdução. O espectro da ideologia. In: *Um mapa da ideologia*. Trad. Vera Ribeiro Rio de Janeiro: Contraponto Editora, 2013.

25. Idem, p. 9.

26. 26 Georg Wilhelm Friedrich Hegel, um dos mais influentes e importantes filósofos alemães. Viveu no século XVIII.

27. Esclarecimento utilizado para denotar as ideias iluministas.

28. Sociólogo e filósofo alemão. Membro da Escola de Frankfurt, uma das mais influentes escolas de pensamento e formulação da teoria crítica.

29. ŽIŽEK, Slavoj, op. cit., p. 16.

30. Escritor, sociólogo, crítico literário, semiólogo e filósofo francês.

31. ALTHUSSER, Louis. Ideologia e Aparelhos ideológicos de Estado (notas para uma investigação). In: *Um mapa da ideologia*. Trad. Vera Ribeiro. Rio de Janeiro: Contraponto Editora, 2013, p. 29.

32. Um dos mais importantes filósofos, historiador das ideias, teórico social, filólogo e crítico literário do século XX.

33. FOUCAULT, M. *Microfísica do poder*. 28. ed. São Paulo: Record, 2014.

34. CARNEIRO, Sueli. A construção do outro como não-ser como fundamento do ser. Tese de Doutorado em Educação, na área de Filosofia da Educação. São Paulo: FEUSP, 2005.

35. Em uma cena do documentário dirigido por Ava DuVernay, 13ª Emenda (2016), Angela Davis aparece discursando em atos e lutas pela liberdade de presos políticos nos anos de 1970.

36. FOUCAULT, M. *Vigiar e Punir*: nascimento da prisão. 3. ed. Petrópolis: Vozes, 2016, p. 36.

37. Idem.

38. Ação dos Cristãos para a abolição da Tortura; Conectas Direitos Humanos; Núcleo de Pesquisas do IBCCrim; Núcleo de estudos da violência da USP; Pastoral Carcerária. "Julgando a tortura: análise de jurisprudência nos tribunais de Justiça no Brasil (2005-2010), 2015. Disponível em: <http://www.conectas.org/arquivos/editor/files/Julgando%20a%20tortura.pdf>. Acesso em: 9 dez. 2017.

39. SILVA, Carla Adriana Santos. Ó Pa Í, Prezada! Racismo e Sexismo Intitucionais tomando bonde no Conjunto Penal Feminino de Salvador. Dissertação de Mestrado, Salvador: UFBA, 2014. pg. 64.

40. FOUCAULT, M. *Vigiar e Punir*: nascimento da prisão. 3. ed. Petrópolis: Vozes, 2016, p. 80- 81.

41. Idem, p. 16.

42. FLAUZINA, Ana P. Corpo negro caído no chão: sistema penal e o projeto genocida do Estado brasileiro. Dissertação de Mestrado, Brasília: UNB, 2006.

43. ALEXANDER, Michelle. *The new Jim Crow*: mass incarceration in the age of colorblindness. New York; London: The New Press, 2010, p. 7, tradução livre da autora. Jim Crow: as leis Jim Crow são um conjunto de leis locais e

estaduais para segregação racial que vigoraram nos EUA. Foram suprimidas pelo Civil Rights Act.

44. Diretor Stanley Kubrick, 1971.

45. Op. cit., p. 65.

46. BRAH, Avtar. *Cartografías de la diáspora*: identidades en cuestión. Espanha: Mapas 30, 2011.

47. WIEVIORKA, M. *O racismo, uma introdução*. Trad. Fany Kon. São Paulo: Perspectiva, 2007, p. 68.

48. RATTS, Alex. Eu sou Atlântica: sobre a trajetória de vida de Beatriz Nascimento. São Paulo: Imprensa Oficial, 2006.

49. SANTOS, Neusa S. *Tornar-se negro*: As vicissitudes da Identidade do Negro Brasileiro em Ascensão Social. Rio de Janeiro: Graal, 1983.

50. GOMES, Nilma Lino. Corpo e cabelo como ícones de construção da beleza e da identidade negra nos salões étnicos de Belo Horizonte. Tese de Doutorado, São Paulo: USP, 2002.

51. FLAUZINA, Ana P. Corpo negro caído no chão: sistema penal e o projeto genocida do Estado brasileiro. Dissertação de Mestrado, Brasília: UNB, 2006.

52. Declaração sobre raça e os preconceitos raciais. Conferência da Organização das Nações Unidas para Educação, a Ciência e a Cultura, 1978. Disponível em: <http://www.dhnet.org.br/direitos/sip/onu/discrimina/dec78.htm>. Acesso em: 23 nov. 2017.

53. RATTS, Alex. *Eu sou Atlântica*: sobre a trajetória de vida de Beatriz Nascimento. São Paulo: Imprensa Oficial, 2006.

54. Idem.

55. Mapa da violência, 2014.

56. Interessante notar como há uma construção histórico-narrativa de que esse suposto pacifismo brasileiro é algo natural, de nosso instinto natural. Como lutar contra a própria natureza? Além de absolutamente essencialista, porque desloca o entendimento de que somos seres sociais e, portanto, construídos por acordos e normas sociais, também serve à reafirmação constante, e subentendida, dessa passividade. Se algo natural, não haveria por que indignar-se, lutar e mudar as coisas.

57. NASCIMENTO, Abdias. *Democracia racial:* mito ou realidade?,1977.

58. CHAUÍ, M. "Brasil: mito fundador e sociedade autoritária". In: ROCHA, A. (Org). Manifestações ideológicas do autoritarismo brasileiro. Belo Horizonte: Autêntica; São Paulo: Editora Fundação Perseu Abramo, 2013.

59. SCHWARCZ, L.; STERLING, H. M. *Brasil*: uma biografia. São Paulo: Companhia das Letras, 2015.

60. Idem.

61. A escolha da autora é pela utilização do termo "escravizado" e não "escravo", para dar conta de uma condição temporária e não de uma definição dos ancestrais africanos sequestrados para o Brasil para a realização de trabalhos forçados.

62. DAVIS, Angela. *Mulheres, Raça e Classe*. São Paulo: Boitempo Editorial, 2016, p. 16.

63. MOURA, Clovis. *Dicionário da Escravidão Negra no Brasil*. São Paulo: EDUSP, 2004, p. 282.

64. BRAH, Avtar. *Cartografías de la diáspora*: identidades en cuestión. Espanha: Mapas 30, 2011.

65. NOGUEIRA, Isildinha B. Significações do corpo negro. Tese de Doutorado, São Paulo: USP, 1998.

66. CHAUÍ, M. Brasil: mito fundador e sociedade autoritária. In: ROCHA, A. (Org). *Manifestações ideológicas do autoritarismo brasileiro*. Belo Horizonte: Autêntica; São Paulo: Editora Fundação Perseu Abramo, 2013, p. 163, 165.

67. CARNEIRO, Sueli. Ideologia Tortuosa. Documento da *Articulação de Mulheres Negras Brasileiras* – Rumo à 111 Conferência Mundial contra o Racismo, a Discriminação Racial, Xenofobia e Formas Conexas de Intolerância, p. 1-2.

68. Idem.

69. REIS, Vilma. Atucaiados pelo Estado: As políticas de Segurança Pública Implementadas nos bairros populares de Salvador e as Representações dos gestores sobre Jovens-Homens-Negros, 1991-2001, FFCH/UFBA, 2005, p. 44.

70. Idem, p. 54,57.

71. FERREIRA, R. A. *Crimes em comum*: escravidão e liberdade sob a pena do Estado imperial brasileiro (1830-1888). São Paulo: Editora UNESP, 2011.

72. SILVA, Carla Adriana Santos da. Ó Paí, Prezada! Racismo e Sexismo institucionais tomando bonde no Conjunto Penal Feminino de Salvador. Dissertação de Mestrado, Salvador: UFBA. 2014, p.36.

73. SCHWARCZ, L.; STERLING, H. M. Brasil: uma biografia. São Paulo: Companhia das Letras, 2015, p. 254-255.

74. FERREIRA, R. A. Crimes em comum: escravidão e liberdade sob a pena do Estado imperial brasileiro (1830-1888). São Paulo: Editora UNESP, 2011, p. 20.

75. Idem, p. 66 e 88.

76. BUENO, Winnie. Quantos meninos negros precisam ser encarcerados para que combatamos a seletividadepenal?. Artigo do site Justificando, de 10 de março de 2017. Disponível em: <http://justificando.cartacapital.com.br/2017/03/10/quantos-meninos-negros-precisam-ser-encarcerados-para-que-combatamos-seletividade-penal/>. Acesso em: 9 dez. 2017.

77. PIRES, Thula. Criminalização do Racismo: entre política de reconhecimento e meio de legitimação do controle social dos não reconhecidos. Dissertação de Mestrado, Rio de Janeiro: PUC-RJ, 2013, p. 231.

78. Idem.

79. SANTOS, Carla Adriana da Silva. Ó Paí, Prezada! Racismo e Sexismo institucionais tomando bonde no Conjunto Penal Feminino de Salvador. Dissertação de Mestrado, Salvador: UFBA. 2014, p.36-37.

80. REIS, Vilma. *Atucaiados pelo Estado*: as políticas de segurança pública implementadas nos bairros populares de Salvador e suas representações de 1991 a 2001. Dissertação de Mestrado, UFBA, 2005, p. 49.

81. BARROS E SILVA, Fernando. Para Machado, República foi só troca de fachada. Publicado em *Folha de S.Paulo*, em 15 nov. 1989. Disponível em: <http://almanaque.folha.uol.com.br/machado3.htm>. Acesso em: 10 dez. 2017.

82. DAVIS. A. *A democracia da abolição*: para além do império

das prisões e da tortura. Trad. Artur Neves Teixeira. Rio de Janeiro: DIFEL, 2009.

83. Cesare Lombroso é considerado o pai da criminologia moderna. Psiquiatra, cirurgião, higienista, criminologista, antropólogo italiano, Lombroso buscou relacionar características físicas ao comportamento criminal dos indivíduos.

84. FLAUZINA, Ana P. Corpo negro caído no chão: sistema penal e o projeto genocida do Estado brasileiro. Dissertação de Mestrado, Brasília: UNB, 2006.

85. "Racial Caste System". ALEXANDER, Michelle. *The new Jim Crow*: mass incarceration in the age of colorblindness. New York; London: The New Press, 2010.

86. Dados do Relatório "A aplicação de penas e medidas alternativas", IPEA, 2015.

87. Dados: Censo Conselho Nacional de Justiça (2014); InfoPen (2014).

88. Critérios do IBGE. Na pesquisa do CNJ, os dados são: 14% pardos/1,4% pretos; 24,7% pardos/4,1% pretos.

89. Tradução da autora: As prisões tornaram-se um buraco negro no qual os detritos do capitalismo contemporâneo são depositados. O encarceramento em massa gera lucros à medida que devora a riqueza social e, portanto, tende a reproduzir as próprias condições que levam as pessoas para a prisão.

90. SANTOS, Carla Adriana da Silva. Ó Paí, Prezada! Racismo e Sexismo institucionais tomando bonde no Conjunto Penal Feminino de Salvador. Dissertação de Mestrado, Salvador: UFBA, 2014, p. 50.

91. InfoPen Mulheres, 2015.

92. Idem, 2015.

93. Estatuto da Juventude, 18 a 29 anos.

94. DAVIS, Angela. *Are prisons obsolete?* New York: Seven Stories Press, 2003.

95. SANTOS, Carla Adriana da Silva. Ó Paí, Prezada! Racismo e Sexismo institucionais tomando bonde no Conjunto Penal Feminino de Salvador. Dissertação de Mestrado, Salvador: UFBA, 2014, p. 43.

96. DAVIS, Angela. Are prisons obsolete? New York: Seven Stories Press, 2003, p. 67

97. No Brasil, 5,3% das mulheres encarceradas apresentam agravos transmissíveis, sendo 46% delas portadoras do HIV e 35% portadoras de sífilis. Entre os homens, esse número cai para 2,4%, sendo 28% portadores de HIV, seguido de 26,6% portadores de tuberculose, antes 4,2% desse agravo entre mulheres. Fonte: Infopen Mulheres, 2015.

98. Relatório ITTC, "Mulheres em prisão", 2017.

99. Dados Instituto Brasileiro de Ciências Criminais (IBCCRIM). Disponível em: <https://www.ibccrim.org.br/boletimartigo/5279-Revista-vexatria-o-estupro-institucionalizado>. Acesso em: 23 nov. 2017.

100. Um estudo importante é: ALVES, Enedina do Amparo. Rés negras, judiciário branco: uma análise da interseccionalidade de gênero, raça e classe na produção da punição em uma prisão paulistana. Dissertação (Mestrado em Ciências Sociais) – Pontifícia Universidade Católica de São Paulo, São Paulo, 2015, 173 f.

101. No quadro geral do sistema penitenciário, a média entre homens e mulheres cai para 54%. Portanto, essa diferença considerável no cárcere e altas penas para

mulheres por pequenos delitos é um dado para atentar-se sobremaneira.

102. Infopen Mulheres, 2015.

103. ALEXANDER, Michelle. The new Jim Crow: mass incarceration in the age of colorblindness. New York; London: The New Press, 2010.

104. Em junho de 2013, uma onda de manifestações eclodiu a partir, principalmente, dos eixos São Paulo-Rio de Janeiro e depois se expandiu no Brasil. No início, o processo tinha como foco a luta contra o aumento de passagens e por Reforma Urbana, garantindo direito à cidade. Com a forte repressão policial exercida em diversas manifestações, principalmente em São Paulo, houve um aumento da participação da sociedade contra a violência exercida sobre os jovens. A partir disso, uma série de outras pautas começou a ser incluída nas manifestações que tomaram às ruas do país. A forte repressão das polícias estaduais foi um dado marcante.

105. BOITEUX, Luciana. Mujeres y encarcelamiento por delitos de drogas. Colectivo de Estudios Drogas y Derecho, 2015.

106. Relatório Panorama das apreensões de drogas no Rio de Janeiro 2010-2016. Instituto de Segurança Pública do Rio de Janeiro, 2016.

107. Iniciativa Negra por uma Nova Política sobre Drogas, 2016. Disponível em: <www.iniciativanegra.com.br>. Acesso em: 9 dez. 2017.

108. A conclusão se deu em paralelo a pensamento exposto por Michelle Alexander, em *The New Jim Crow*, ao falar dessa mesma relação de medo que jovens negros tem em relação ao comportamento diante de policiais.

109. Artigo 284 do Código do Processo Penal. Decreto-Lei n. 3.689, de 3 de outubro de 1941. Art. 284. Não será permitido o emprego de força, salvo a indispensável no caso de resistência ou de tentativa de fuga do preso.

110. IPEA. Fórum Brasileiro de Segurança Pública. Atlas da Violência, 2017.

111. DAVIS. A. *A democracia da abolição*: para além do império das prisões e da tortura. Trad. Artur Neves Teixeira. Rio de Janeiro: DIFEL, 2009.

112. ARENDT, Hannah. *Origens do totalitarismo*. Trad. Roberto Raposo. São Paulo: Companhia das Letras, 2012, p. 238, 239.

113. COLLINS, Patricia Hill. *Black Feminist Thought*. New York, London: Routledge, 2000.

114. RIBEIRO, Djamila. "Feminismo negro para um novo marco civilizatório". Disponível em: <http://www.mobilizadores.org.br/wp-content/uploads/2017/01/Texto31jan.pdf>. Acesso em: 23 nov. 2017.

115. DAVIS, Angela. *Mulheres, Cultura e Política*. São Paulo: Boitempo Editorial, 2017.

116. DAVIS, Angela. *Are prisons obsolete?* New York: Seven Stories Press, 2003, p. 16.

117. Michelle Alexander levanta essa questão no documentário *A 13ª emenda*, da diretora Ava Duvernay, de 2016.

118. HART, Carl. *Um preço muito alto*. Rio de Janeiro: Zahar, 2014.

119. DAVIS, Angela. *Are prisons obsolete?* New York: Seven Stories Press, 2003.

Referências bibliográficas

AÇÃO DOS CRISTÃOS PARA A ABOLIÇÃO DA TORTURA; CONECTAS: DIREITOS HUMANOS; IBCCRIM; NEV-USP; PASTORAL CARCERÁRIA. "Julgando a tortura: análise de jurisprudência nos tribunais de Justiça no Brasil (2005-2010), 2015. Disponível em: <http://www.conectas.org/arquivos/editor/files/Julgando%20a%20tortura.pdf>. Acesso em: 9 dez. 2017.

ALEXANDER, Michelle. *The new Jim Crow:* mass incarceration in the age of colorblindness. New York; London: The New Press, 2010.

ALTHUSSER, Louis. Ideologia e Aparelhos ideológicos de Estado (notas para uma investigação). In: *Um mapa da ideologia*. Trad. Vera Ribeiro. Rio de Janeiro: Contraponto Editora, 2013.

ALVES, Enedina do Amparo. Rés negras, judiciário branco: uma análise da interseccionalidade de gênero, raça e classe na produção da punição em uma prisão paulistana. 2015. Dissertação (Mestrado em Ciências Sociais) – Pontifícia Universidade Católica de São Paulo, São Paulo, 2015. 173 f.

ARENDT, Hannah. *Origens do totalitarismo*. Trad. Roberto Raposo. São Paulo: Companhia das Letras, 2012. p. 238-239.

BARROS E SILVA, Fernando. Para Machado, República foi só troca de fachada. *Folha de S.Paulo*, 15 nov. 1989. Disponível em: <http://almanaque.folha.uol.com.br/machado3.htm>. Acesso em: 10 dez. 2017.

BRAH, Avtar. *Cartografías de la diáspora:* identidades en cuestión. Espanha: Mapas 30, 2011.

BOITEUX, Luciana. *Mujeres y encarcelamiento por delitos de drogas*. Colectivo de Estudios Drogas y Derecho, 2015

BORGES, Juliana. "Necropolítica na metrópole: extermínio

de corpos, especulação de territórios". *Blog da Boitempo*, jun. 2017 Disponível em: <https://blogdaboitempo.com.br/2017/06/01/necropolitica-na-metropole-exterminio-de-corpos-especulacao-de-territorios/>. Acesso em: 9 dez. 2017.

BUENO, Winnie. "Quantos meninos negros precisam ser encarcerados para que combatamos a seletividade penal?". Justificando, 10 mar. 2017. Disponível em: <http://justificando.cartacapital.com.br/2017/03/10/quantos-meninos-negros-precisam-ser-encarcerados-para-que-combatamos-seletividade-penal/>. Acesso em: 9 dez. 2017.

CARNEIRO, Sueli. A construção do outro como não-ser como fundamento do ser. Tese de Doutorado em Educação, na área de Filosofia da Educação, São Paulo: FEUSP, 2005.

_____. Ideologia Tortuosa. Documento da Articulação de Mulheres Negras Brasileiras – Rumo à 111 Conferência Mundial contra o Racismo, a Discriminação Racial, Xenofobia e Formas Conexas de Intolerância. p. 1-2.

CHAUÍ, M. "Brasil: mito fundador e sociedade autoritária". In: ROCHA, A. (Org.). *Manifestações ideológicas do autoritarismo brasileiro*. Belo Horizonte: Autêntica; São Paulo: Fundação Perseu Abramo, 2013.

CNJ – CONSELHO NACIONAL DE JUSTIÇA. Dos espaços aos direitos: a realidade da ressocialização na aplicação das medidas socioeducativas de internação das adolescentes do sexo feminino em conflito com a lei nas cinco regiões. Coord. Marília Montenegro Pessoa de Mello; pesquisadores Camila Arruda Vidal Bastos et al. Brasília: Conselho Nacional de Justiça, 2015.

_____. Censo Conselho Nacional de Justiça. Brasília: Conselho Nacional de Justiça, 2014.

COLLINS, Patricia Hill. Black Feminist Thought. New York,

London: Routledge, 2000.

CRENSHAW, Kimberly. "A Interseccionalidade na discriminação de raça e gênero". In: VV. AA. Cruzamento: raça e gênero. Brasília: Unifem, 2004.

DAVIS, Angela. A democracia da abolição: para além do império das prisões e da tortura. Trad. Artur Neves Teixeira. Rio de Janeiro: DIFEL, 2009.

_____. Mulheres, Cultura e Política. Trad. Heci Regina Candiani. São Paulo: Boitempo, 2017.

_____. Mulheres, Raça e Classe. São Paulo: Boitempo, 2016.

_____. Are prisons obsolete? New York: Seven Stories Press, 2003.

DEPEN – DEPARTAMENTO PENITENCIÁRIO NACIONAL.

_____. Levantamento Nacional de Informações penitenciárias: Infopen – Junho 2014, Ministério da Justiça, 2015.

_____. Levantamento Nacional de Informações penitenciárias: InfoPen Mulheres – junho 2014, Ministério da Justiça, 2015.

_____. Levantamento Nacional de Informações penitenciárias: InfoPen – junho 2016, Ministério da Justiça, 2017.

DUVERNAY, Ava. *A 13ª emenda*. EUA: 2016

FERREIRA, A. B. de H. Novo dicionário da língua portuguesa. 2. ed. Rio de Janeiro: Nova Fronteira, 1986.

FERREIRA, R. A. Crimes em comum: escravidão e liberdade sob a pena do Estado imperial brasileiro (1830-1888). São

Paulo: Editora UNESP, 2011.

FOUCAULT, M. *Microfísica do poder*. 28. ed. São Paulo: Record, 2014.

_____. *Vigiar e Punir*. São Paulo: Vozes, 1997.

FLAUZINA, Ana Luiza P. Corpo negro caído no chão: o sistema penal e o projeto genocida do Estado brasileiro. Tese de Mestrado, Brasília: UNB, 2006.

GOMES, Nilma Lino. Corpo e cabelo como ícones de construção da beleza e da identidade negra nos salões étnicos de Belo Horizonte. Tese de Doutorado, São Paulo: USP, 2002.

GONZALEZ, L.; HASENBALG, C. Lugar de negro. Rio de Janeiro: Marco Zero, 1982.

HART, Carl. *Um preço muito alto*. Rio de Janeiro: Zahar, 2014

IBCCRIM – Instituto Brasileiro de Ciências Criminais. Revista vexatória: o estupro institucionalizado. Boletim 267. São Paulo, 2015. Disponível em: <https://www.ibccrim.org.br/boletimartigo/5279-Revista-vexatria-o-estupro-institucionalizado>. Acesso em: 23 nov. 2017.

ISPRJ – INSTITUTO DE SEGURANÇA PÚBLICA DO RIO DE JANEIRO. Relatório Panorama das apreensões de drogas no Rio de Janeiro 2010-2016. Instituto de Segurança Pública do Rio de Janeiro, 2016.

IPEA – INSTITUTO DE PESQUISA ECONOMICA APLICADA. Relatório "A aplicação de penas e medidas alternativas", IPEA, 2015.

_____. FÓRUM BRASILEIRO DE SEGURANÇA PÚBLICA. Atlas da Violência. Brasília: 2017.

ITTC – INSTITUTO TERRA, TRABALHO E CIDADANIA. Relatório ITTC. Mulheres em prisão, São Paulo, 2017.

LIDDEL, H. G.; SCOTT R.; JONES, H. S. *Greek-English lexicon with a revised supplement*. 9. ed. Oxford: Clarendon Press, 1996.

MBEMBE, Achille. *Necropolitics*. Trad.: Libby Meintjes. Public Culture. Duke University Press, 2003.

MOURA, Clóvis. Dicionário da Escravidão Negra no Brasil. São Paulo: Edusp, 2004.

_____. *História do Negro Brasileiro*. São Paulo: Ática, 1992.

NASCIMENTO, Abdias. *Democracia racial:* mito ou realidade?, 1977.

_____. *O genocídio do negro brasileiro*. São Paulo: Perspectiva, 2016.

NASCIMENTO, Beatriz.; GERBER, R. Documentário Orí. Brasil: 1989 Disponível em: <https://www.youtube.com/watch?v=DBxLx8D99b4&t=1207s>. Acesso em: 23 nov. 2017.

NOGUEIRA, Isildinha B. Significações do corpo negro. Tese de Doutorado, São Paulo: USP, 1998.

PIRES, Thula. Criminalização do racismo: entre política de reconhecimento e meio de legitimação do controle social dos não reconhecidos. Dissertação de Mestrado, Rio de Janeiro: PUC-RJ, 2013.

RATTS, Alex. *Eu sou Atlântica*: sobre a trajetória de vida de Beatriz Nascimento. São Paulo: Imprensa Oficial, 2006.

REIS, Vilma. Atucaiados pelo Estado: as políticas de segurança pública implementadas nos bairros populares de Salvador e suas representações de 1991 a 2001. Dissertação de Mestrado, UFBA, 2005.

RIBEIRO, Djamila. "Feminismo negro para um novo marco civilizatório". Disponível em: <http://www.mobilizadores.

org.br/wp-content/uploads/2017/01/Texto31jan.pdf>. Acesso em: 23 nov. 2017.

SANTOS, Neusa S. "Tornar-se negro": As vicissitudes da Identidade do Negro Brasileiro em Ascensão Social. Rio de Janeiro: Graal, 1983.

SANTOS, Carla Adriana da Silva. Ó Paí, Prezada! Racismo e Sexismo institucionais tomando bonde no Conjunto Penal Feminino de Salvador. Dissertação de Mestrado, Salvador: UFBA. 2014.

SCHWARCZ, L.; STERLING, H. M. *Brasil:* uma biografia. São Paulo: Companhia das Letras, 2015.

WAISELFISZ, Julio Jacobo. *Mapa da Violência*. Rio de Janeiro: Flacso, 2014.

WIEVIORKA, M. *O racismo, uma introdução*. Trad. Fany Kon. São Paulo: Perspectiva, 2007.

ŽIŽEK, Slavoj. Introdução. O espectro da ideologia. In: Um mapa da ideologia. Trad. Vera Ribeiro. Rio de Janeiro: Contraponto Editora, 2013.

Este livro foi composto pelas família tipográficas **Calisto MT**. Foi impresso pela Edições Loyola em papel Pólen Soft 80g/m², em maio de 2021